D1582848

# Luna

De la même auteure aux Éditions Michel Quintin

**Série ZÂA**

*Zâa – Le passeur* (tome 1)
*Zâa – Le Stiryx* (tome 2)
*Zâa – Le complot* (tome 3)

**Série LUNA**

*Luna – La cité maudite* (tome 1)
*Luna – La vengeance des elfes noirs* (tome 2)
*Luna – Le combat des dieux* (tome 3)
*Luna – La dernière dragonne* (tome 4)
*Luna – La fleur de sang* (tome 5)
*Luna – La maître des loups* (tome 6)
*Luna – Les adorateurs du scorpion* (tome 7)
*Luna – Le palais des Brumes* (tome 8)
*Luna – La cité océane* (tome 9)
*Luna – L'invasion des hommes-rats* (tome 10)

ÉLODIE TIREL

# Luna

## L'INVASION DES HOMMES-RATS

ÉDITIONS
MICHEL
QUINTIN

**Catalogage avant publication de Bibliothèque et Archives nationales du Québec et Bibliothèque et Archives Canada**

Tirel, Élodie

Luna

Sommaire: 10. L'invasion des hommes-rats.
Pour les jeunes de 11 ans et plus.

ISBN 978-2-89435-588-6 (v. 10)

I. Titre. II. Titre: L'invasion des hommes-rats.

PZ23.T546Lu 2009    j843'.92    C2009-940443-5

*Illustration de la page couverture:* Boris Stoilov
*Illustration de la carte:* Élodie Tirel
*Infographie:* Marie-Ève Boisvert, Éd. Michel Quintin

 Le Conseil des Arts du Canada
The Canada Council for the Arts     Patrimoine    Canadian
canadien    Heritage

La publication de cet ouvrage a été réalisée grâce au soutien financier du Conseil des Arts du Canada et de la SODEC.

De plus, les Éditions Michel Quintin reconnaissent l'aide financière du gouvernement du Canada par l'entremise du Fonds du livre du Canada pour leurs activités d'édition.

Gouvernement du Québec – Programme de crédit d'impôt pour l'édition de livres – Gestion SODEC

ISBN 978-2-89435-588-6
Dépôt légal – Bibliothèque et Archives nationales du Québec, 201
Dépôt légal – Bibliothèque et Archives Canada, 2012

© Copyright 2012

Éditions Michel Quintin
C. P. 340, Waterloo (Québec)
Canada  J0E 2N0
Tél.:    450 539-3774
Téléc.:  450 539-4905
editionsmichelquintin.ca

1 2 - A G M V - 1

Imprimé au Canada

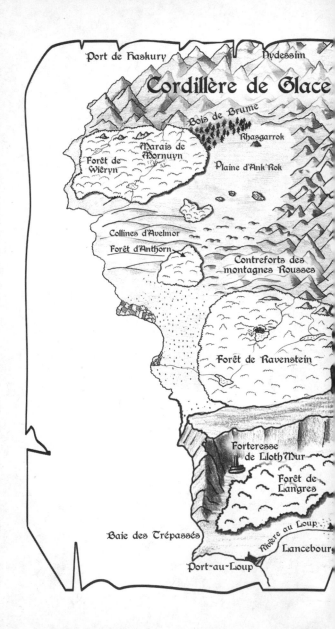

Port de Haskury　　　Hydessim

# Cordillère de Glace

Bois de Brume

Rhasgarrok

Marais de
Mornuyn

Forêt de
Wïeryn

Plaine d'Ank'Rok

Collines d'Avelmor

Forêt d'Anthorn

Contreforts des
montagnes Rousses

Forêt de Ravenstein

Forteresse
de Lloth'Mur

Forêt de
Langres

Baie des Trépassés

Rivière au Loup

Lancebour

Port-au-Loup

# PROLOGUE

Dehors, il pleuvait des cordes, mais qu'importait, à l'intérieur de la maisonnette, il faisait bon. La nuit était tombée et dans l'âtre crépitaient de belles flammes qui réchauffaient l'unique pièce. Dans son lit douillet, la petite Alba ne parvenait toutefois pas à s'endormir. Les trombes d'eau qui s'abattaient sur le chaume noirci l'empêchaient de trouver le sommeil.

La fillette repoussa sa couverture et regarda sa grand-mère et sa grand-tante qui, tranquillement installées devant la cheminée, tricotaient en silence.

— Gran'ma, j'arrive pas à dormir. Tu me racontes une histoire, dis ?

La vieille elfe sylvestre se retourna, surprise.

— Tu ne dors pas encore, toi ? Il est tard, tu sais.

— Justement, pour pouvoir m'endormir, j'ai besoin d'une histoire.

— À ton âge? Alba, tu es bien trop grande pour ça.

L'autre femme, un peu plus âgée, posa délicatement son ouvrage sur sa chaise et mit une main sur l'épaule de sa sœur.

— Laisse, je vais y aller.

— Oh merci, Gran'ta, tu es trop gentille! s'exclama aussitôt l'enfant.

La petite se cala contre ses oreillers, prête à savourer l'histoire qui allait l'entraîner loin de là. L'elfe approcha une chaise du lit et sourit.

— Laquelle veux-tu que je te raconte? chuchota-t-elle pour ne pas déranger sa sœur qui avait repris son tricot.

Alba n'hésita qu'une seconde.

— L'histoire du prince Djem!

— Tu la connais par cœur.

— Je sais, mais c'est ma préférée…

Gran'ta hocha la tête, vaincue par le sourire mutin de sa petite nièce.

— On raconte que le dernier roi qui vécut là-haut, dans la citadelle, n'arrivait pas à avoir d'enfant, car sa femme adorée était stérile. Or, quel plus grand malheur pour un souverain que de n'avoir pas de descendance? Résolu à avoir un fils coûte que coûte, il fit quérir dans la région de jolies jeunes femmes et

8

promit d'épouser celle qui lui donnerait un héritier. Nombreuses furent les damoiselles qui accoururent au château. Le roi honora chacune d'entre elles, mais pas une ne se trouva enceinte. Désespéré, le souverain fit appel à une sorcière. Il pactisa avec les forces du mal, répudia sa tendre épouse et épousa la maléfique harpie, scellant ainsi son destin au sien. Pourtant, il ne regretta pas son geste, car il s'avéra que la sorcière tomba tout de suite enceinte. Neuf mois plus tard naissaient des jumeaux, un garçon et une fille, aussi beaux et éveillés l'un que l'autre. Le monarque était comblé. Pourtant, son bonheur fut de courte durée. La sorcière lui avait volontairement caché que toute magie avait un prix. «Un de ces deux enfants par ta main périra, augura-t-elle. Le jour de ta mort, il te faudra choisir qui d'entre eux te survivra.» Horrifié, le bon roi refusa de croire à cette sombre prophétie et chassa la sorcière de son domaine.

— S'il avait su quel vilain tour elle lui joue-rait plus tard, il l'aurait plutôt fait étrangler! fit Alba en mettant ses mains autour de son cou pour mimer la scène.

— Ah ça oui! Mais le roi n'était pas aussi cruel, et puis il croyait certainement que cela suffirait à écarter la malédiction. Il éleva donc tout seul ses deux enfants. Les jumeaux, qu'il chérissait plus que tout, étaient fort différents. Djem, l'enfant aux cheveux blonds, était calme et posé. Il passait des heures dans la bibliothèque à étudier et à écrire. Rêveur, il aimait se poster en haut du donjon pour admirer la mer qui lui inspirait de doux vers, qu'il accompagnait à la harpe. La brune Aldriel, au contraire, ne tenait pas en place. Elle avait appris à monter, à tirer, à chasser, et elle suivait régulièrement son père lorsqu'il visitait ses terres. Ils passaient énormément de temps ensemble. Au fil des années, leur tendre complicité se mua en une profonde admiration mutuelle. Le bon roi dut se rendre à l'évidence, Aldriel avait la trempe d'une reine, Djem, celle d'un troubadour.

— Et après? Raconte quand le roi est rentré blessé.

La vieille elfe soupira devant tant d'impatience, mais se plia de bonne grâce à la volonté de l'enfant.

— Ce que le roi ignorait, c'était que la vilaine sorcière attendait dans l'ombre le jour de sa vengeance. Un jour qu'il chassait, elle en profita pour lui tendre un piège. Elle tua ses hommes, le blessa grièvement et le captura. « Tu croyais qu'en me bannissant tu reculerais l'accomplissement de la prophétie? lui fit-elle. Tu as eu tort, car dans quelques heures tu succomberas à tes blessures et, si tu ne choisis pas ton héritier avant de rendre l'âme, tes deux enfants périront!» Le roi moribond fut trouvé par des villageois et ramené au château. Sur son lit de mort, le souverain, rongé par le désespoir, fit appeler ses sept gardes les plus fidèles. Il leur demanda de conduire le prince Djem dans les souterrains qui couraient sous la citadelle et de l'emmurer vivant. Afin qu'il ne s'échappe jamais de sa prison de pierre, les sept hommes garderaient cet endroit jusque dans la mort. Ils acceptèrent de se sacrifier sans une hésitation. Ensuite de quoi le roi fit quérir sa fille chérie et la désigna comme héritière du trône. Il mourut juste après. La nouvelle reine fit mander son frère pour lui apprendre le décès de leur père, mais nul ne le trouva. Malgré les recherches qui furent effectuées, personne ne sut jamais où était passé le prince Djem. Le roi était mort en emportant avec lui son horrible secret.

— Mais comment tu le sais, toi, alors? demanda Alba.

— Ceux qui se sont aventurés dans les ruines de la citadelle disent que le fantôme de Djem hante toujours les lieux. C'est lui qui leur a raconté sa tragique histoire.

— Tu l'as déjà rencontré, toi?

— Moi, non, mais ta grand-mère, une fois, je crois.

À ces paroles, Gran'ma se retourna, indignée.

— Tais-toi, Viurna! Ne lui raconte pas ça! Tu vas lui faire faire des cauchemars!

— Mais j'aime bien les histoires de fantôme, moi! se récria la fillette. Allez, continue, Gran'ta. Qu'est-ce qu'elle est devenue, Aldriel?

— Aldriel fut une reine droite et juste. Adorée de ses sujets et respectée des rois des contrées voisines, elle fit prospérer son royaume dans la paix jusqu'au jour où un mal inconnu frappa le château. Les uns après les autres, ses gens moururent dans d'atroces souffrances. Sans qu'on en connaisse l'origine, la mortelle épidémie se répandit, n'épargnant personne, pas même Aldriel. La citadelle sombra dans le chaos.

— Moi, je suis sûre que c'est la sorcière qui leur a lancé cette malédiction, chuchota Alba.

Gran'ta hésita, puis se pencha pour répondre sur le même ton:

— Ou bien c'est le prince Djem qui s'est vengé de sa mort atroce.

— Bon, ça suffit, maintenant! gronda Gran'ma en dressant sa maigre silhouette près du lit. Je pense que cette petite est suffisamment traumatisée pour ce soir. Inutile d'en rajouter!

Viurna s'éloigna d'Alba en maugréant et retourna près de l'âtre reprendre son ouvrage là où elle l'avait laissé. Gran'ma embrassa sa petite-fille sur le front.

— Tu sais, ma chérie, toutes ces histoires ne sont que des légendes. Elles remontent à tellement longtemps qu'on n'est même pas sûrs qu'elles ont réellement eu lieu !

— Mais Gran'ta, elle, dit que tu as déjà vu le fantôme du prince Djem !

— La pauvre Gran'ta n'a plus toute sa tête, murmura l'elfe sylvestre. Parfois, elle ne sait plus ce qu'elle dit. Allez, oublie toutes ces histoires, ferme tes petits yeux et dors vite, ma pistounette. Demain, nous irons cueillir des herbes médicinales.

— Et tu m'apprendras à faire des décoctions ?

— Promis.

La vieille elfe caressa tendrement la joue de l'enfant de sa main parcheminée et, dès qu'elle fut certaine qu'elle dormait, elle retourna près du feu. Avant de reprendre son tricot, elle adressa un regard noir à sa sœur.

— Je ne comprends pas pourquoi tu m'en veux, marmonna Viurna. J'ai pourtant enjolivé l'histoire.

— Pas assez à mon goût ! D'ailleurs, tu aurais dû en choisir une autre !

— Mais Alba adore cette légende, c'est elle qui…

— Ce n'est pas une légende, Viurna, et tu le sais très bien. Ce qui s'est passé là-haut était l'œuvre de forces démoniaques qui nous dépassent tous et je refuse que mon unique petite-fille soit mêlée à ça d'une manière ou d'une autre. C'est bien simple, je ne veux plus jamais t'entendre prononcer le nom de Djem devant Alba. Plus jamais !

La vieille baissa les yeux, dépitée et vexée. Pourtant, elle ne s'avoua pas vaincue.

— C'est vrai que tu as vu son fantôme ?

Gran'ma soupira longuement avant de lâcher, radoucie :

— Je m'en serais bien passée, crois-moi. Cette nuit-là, j'ai eu la peur de ma vie ! Cette citadelle est maudite, Viurna, et je n'y retournerai pour rien au monde. Pour rien au monde…

# 1

L'automne, maussade et pluvieux, avait définitivement chassé le soleil estival. Le ciel anthracite déversait régulièrement ses lourdes larmes sur l'océan couleur de plomb. Même le lagon semblait morne et triste. L'eau s'était refroidie et les océanides ne sortaient plus jouer avec les dauphins.

Par la baie vitrée de sa chambre, Luna regardait les bancs de poissons défiler dans la lumière grise de l'aube naissante. Ils avaient perdu leurs jolies couleurs. Les rayons du soleil ne faisaient plus scintiller leurs écailles comme autant de pierres précieuses. Les algues aussi subissaient la mélancolie automnale. Encore si vives et colorées le mois dernier, elles s'étiolaient à présent, ternes et nonchalantes. Luna leva les yeux et soupira de dépit. Des milliers de gouttes de pluie piquetaient la surface du lagon telles des aiguilles infatigables. Cette pluie ne finirait donc jamais!

Lasse, l'adolescente se laissa tomber sur son lit. Elle tendit la main vers la cloison qui s'opacifia d'un coup. Mais, au lieu du blanc cotonneux dont elle avait l'habitude, un gris sombre l'enveloppa. La jeune fille frissonna et resserra ses bras autour de sa poitrine.

«Ysmalia, songea-t-elle, la gorge serrée. À quoi ressembles-tu? Possèdes-tu de vastes forêts grouillantes d'animaux, de grandes plaines sauvages entourées de hautes montagnes enneigées? Abrites-tu d'adorables villages aux auberges accueillantes, ou bien des villes bigarrées aux marchés trépidants? La sœur de mon Marécageux foule-t-elle tes terres? Habite-t-elle dans une cabane au milieu de marais? Viurna… Se souvient-elle encore de moi? J'étais si petite, à l'époque, un bébé de quelques heures à peine! Pourtant, elle n'a pas hésité à braver les interdits pour m'emmener loin de Rhasgarrok, loin des drows. Sans elle, j'aurais été offerte en sacrifice à Lloth. Viurna, dont je ne connais même pas le visage, m'a sauvé la vie.»

Depuis que Ma'Olyn, la guérisseuse des fées, lui avait parlé d'Ysmalia sur son lit de mort, Luna y pensait jour et nuit. Elle savait que cette terre les attendait quelque part au sud-ouest. Elle le sentait au fond d'elle. Et ce pressentiment l'obnubilait. De se rendre à Ysmalia était devenu une véritable obsession. Pourtant, de peur de vexer ses amis océanides, elle ne s'était confiée qu'à Kendhal et à Elbion. Le vieux loup avait aussitôt approuvé; le jeune roi avait trouvé l'idée très bonne. C'était lui qui l'avait poussée à en parler à Ambrethil.

Hélas! la mère de Luna n'avait pas partagé son enthousiasme. Comme à son habitude, la reine avait conservé son calme et sa pondération. Elle avait utilisé des mots flous, des « peut-être », des « on verra », « pourquoi pas », « plus tard »… Luna s'était emportée.

— C'est vrai qu'Océanys est un endroit merveilleux, que la générosité et la bonté des océanides sont exceptionnelles et que Fulgurus est un hôte des plus attentionnés. Mais il reste un hôte, maman! Nous sommes ses invités. Que nous restions ici des semaines, des mois, des années n'y changera rien. Nous ne serons jamais chez nous. Et, plus longtemps nous vivrons ici, plus il nous sera difficile d'en partir. Tous les jours, nous nous mêlons un peu plus aux océanides, à commencer par Thyl et Sylmarils qui parlent de mariage. Si nous voulons prendre un nouveau départ, c'est maintenant qu'il faut nous en aller, pas l'année prochaine ni dans deux ans! Il sera trop tard. Ysmalia nous attend.

Luna avait fait une pause avant d'abattre sa dernière carte.

— Et pense à la joie de Viurna! Ta vieille nourrice sera tellement heureuse de te revoir!

L'argument avait fait mouche.

— Hum… et comment comptes-tu te rendre là-bas?

— En volant! Les avariels ont déjà prouvé leur endurance et leur force lors de l'évacuation de Tank'Ylan.

Ambrethil avait longuement hoché la tête, comme pour peser le pour et le contre.

— Qu'en pense Kendhal? avait-elle fini par demander.

— Il approuve ma décision.

— Dans ce cas, je propose que nous en débattions avec Edryss et Thyl; cette décision ne m'incombe pas à moi seule. Nous sommes quatre souverains. Notre départ devra faire l'unanimité.

— Mais Thyl voudra rester ici, s'était lamentée Luna, qui voyait déjà son rêve lui échapper.

— Pas forcément. Sylmarils peut avoir envie de le suivre. Notre communauté abrite bien des elfes argentés, dorés, noirs et ailés. Pourquoi pas des elfes marins?

Luna avait alors repris espoir. Elle faisait confiance à sa mère. Si Ambrethil était convaincue, elle saurait convaincre les autres que le temps était venu de quitter Océanys.

Luna et Kendhal ne parlaient plus que de leur départ proche. Dès qu'ils se trouvaient seuls, ils échafaudaient des plans et imaginaient les bases d'une société idéale. De leur imagination jaillissaient des villes entières agrémentées de palais magnifiques aux jardins féeriques où coulaient des fontaines aux eaux pures. Tout était toujours très beau, luxueux, magique, et il en fut ainsi jusqu'à ce que Thyl mette un frein à leurs ardeurs.

C'était la veille au soir. Après le repas, l'empereur des avariels les avait tous réunis.

— Luna, Kendhal, je comprends votre désir de quitter Océanys. Cette ville, aussi merveilleuse soit-elle, n'est pas la nôtre, c'est un fait. Même moi qui suis pourtant très lié aux océanides, j'éprouve une certaine frustration à rester cloîtré dans cette cité sous-marine. Elle est vaste et splendide, mais la forêt me manque, les arbres me manquent, le ciel me manque. J'ai envie d'espace et de liberté. Cette terre dont t'a parlé Ma'Olyn semble nous appeler. Mais Ysmalia nous offrira-t-elle ce dont nous rêvons? Se révélera-t-elle aussi hospitalière et paisible que nous l'espérons?

— Nous n'en saurons rien tant que nous n'y serons pas allés! avait protesté Luna.

— Tu as raison!

Le cœur de Luna avait bondi dans sa poitrine. Elle avait failli sauter au cou de son ami, mais Thyl n'avait pas terminé.

— Cependant, personne ne sait exactement où se trouve cette terre. Les fées t'ont dit qu'elle se situait loin au sud-ouest. La question est: combien loin? L'automne s'installe avec son cortège de vent, d'averses, de brouillard… Les avariels sont robustes et courageux, certes, mais pas inconscients. Or, s'envoler maintenant vers une contrée inconnue serait de l'inconscience. De lutter contre les bourrasques avec nos ailes alourdies par la pluie et nos sens trompés par la brume nous mènerait droit à la catastrophe. Où nous poserions-nous, en pleine tempête? Sur la mer? Happés par les vagues, nous aurions vite fait de nous noyer. Je refuse de faire courir ce risque aux miens, Luna.

Devant la mine contrite de l'adolescente, il avait souri et ajouté:

— Mais je te promets que, dès le retour des beaux jours, j'organiserai un convoi qui partira en exploration. Avec une poignée d'avariels volontaires et d'océanides motivés, par les airs et par la mer nous mettrons le cap sur le sud-ouest. Nous ne rentrerons qu'après avoir trouvé Ysmalia, je t'en fais le serment!

— Nous viendrons avec vous! s'était écrié Luna.

— Non, pas cette fois, avait corrigé Ambrethil. Cette terre est sans doute fort lointaine et votre présence ne ferait que ralentir nos amis. Par ailleurs, cette traversée pourrait s'avérer extrêmement périlleuse et je pense que tu as eu ta dose de dangers pour les dix prochaines années!

Tout le monde avait ri, sauf Luna.

Elle avait tourné les talons et quitté la salle à manger, livide, pour se réfugier dans sa chambre. Elle avait passé une très mauvaise nuit. Au petit matin, sa déception ne s'était pas dissipée. Allongée sur son lit, elle ruminait son impuissance et son impatience. De devoir attendre ainsi la rongeait de l'intérieur. Elle avait depuis longtemps fait le tour d'Océanys. Elle avait envie de liberté, de découvertes et d'aventures. Elle n'était pas faite pour la vie oisive et méditative que menait sa mère. L'inaction lui pesait, elle s'ennuyait et n'avait plus goût à rien. Dire qu'elle allait devoir attendre ainsi jusqu'au printemps, peut-être même jusqu'à l'été prochain! Quelle galère!

De très mauvaise humeur, Luna décréta alors qu'elle ne sortirait pas de la journée, qu'elle bouderait et n'adresserait la parole à personne. Pourtant lorsque Kendhal frappa à sa porte, elle s'empressa de lui ouvrir.

— Toujours en colère? demanda-t-il en découvrant le visage fermé de son amie.

— Pourquoi n'es-tu pas passé me dire bonsoir? lui reprocha-t-elle.

— Je m'apprêtais à le faire, tu t'en doutes, mais en chemin j'ai croisé Ambrethil et elle m'a dissuadé de venir te voir. Elle m'a dit qu'il était trop tôt, qu'il fallait que tu digères la nouvelle, que demain matin tu serais de meilleure humeur.

— Mais de quoi se mêle-t-elle? s'écria Luna, furieuse. De toute façon, si elle croit que je vais rester là bien sagement pendant que tout le monde s'amuse, sauf moi, elle se fiche le doigt dans l'œil. Il est hors de question que je reste à quai pendant que Thyl, Sylmarils et leurs amis partiront à la découverte d'Ysmalia. C'est à moi que Ma'Olyn a confié son secret, pas à eux!

— Je sais, soupira Kendhal. Moi non plus, ça ne me plaît pas. Je n'ai aucune envie d'être mis de côté. Mais la nuit m'a porté conseil et finalement j'ai trouvé un point positif à tout cela.

— Eh bien, tu as dû sacrément te creuser la

cervelle, parce que, moi, des points positifs, je n'en vois aucun !

— Si Thyl et ses amis avaient accepté de partir tout de suite, nous n'aurions pas pu les accompagner, alors que, là, nous avons cinq ou six mois pour les convaincre. Tu sais à quel point Thyl t'apprécie ! Il est incapable de te refuser quoi que ce soit.

— Pas depuis qu'il en pince pour Sylmarils ! grimaça l'adolescente.

— Tu es jalouse ?

— Tu plaisantes, ou quoi ?! bondit Luna en faisant les gros yeux. Je suis très contente pour lui, au contraire. Depuis le temps qu'il se cherchait une petite amie ! Mais je crains que désormais il ne préfère obéir à ma mère plutôt qu'à moi…

Soudain, la porte de la chambre s'effaça dans le mur, laissant apparaître une Sylmarils toute souriante.

— Je peux entrer ? demanda-t-elle de sa voix flûtée.

— Ben, c'est déjà fait, non ? fit Luna, plus sèchement qu'elle ne l'aurait voulu.

La jolie océanide se raidit, mais ne se départit pas de son sourire bienveillant.

— Toujours fâchée ?

— Si c'est pour me convaincre que Thyl a

raison et que cette aventure ne concerne que les vieux, c'est peine perdue!

Contre toute attente, Sylmarils éclata de rire et sauta sur le bout du lit.

— Arrête un peu de râler! Allez, debout! J'ai une surprise pour toi!

Luna la regarda, interloquée. Ses yeux étonnés se posèrent alternativement sur Sylmarils et sur Kendhal pour déchiffrer leur visage. Si l'océanide arborait un air énigmatique, l'elfe de soleil plissait le front, dérouté. Il ignorait également à quoi Sylmarils faisait allusion.

— De quoi s'agit-il? s'écria Luna.

— Si je te le dis maintenant, ce ne sera plus une surprise! s'écria la jeune océanide en lui saisissant la main pour la tirer du lit. Allez, suis-moi.

— Je peux venir? s'enquit Kendhal.

— Bien sûr, puisque ça vous concerne tous les deux.

Luna s'empressa d'enfiler une robe en algues tressées et suivit la princesse dans les couloirs de la cité-palais, Kendhal sur ses talons.

— Dis-moi au moins où on va, fit Luna, haletante.

— Je ne te dirai rien. Tu verras une fois sur place.

Les trois jeunes gens passèrent en courant

devant les appartements de Fulgurus, les bains royaux et les réfectoires, mais, à cette heure matinale, personne n'était encore attablé. En silence, ils gravirent plusieurs escaliers et traversèrent de nombreuses salles vides. Arrivée dans un des salons qui faisaient office de carrefours conviviaux où les océanides aimaient se retrouver pour bavarder, Sylmarils bifurqua à droite dans un couloir entièrement vitré. Le jour se levait, mais le ciel était couvert. La masse grise des nuages se reflétait à la surface, opacifiant les eaux du lagon. La coursive se termina bientôt sur une double porte en bois magnifiquement sculptée. Sylmarils appuya de toutes ses forces contre un des lourds vantaux qui s'ouvrit lentement sur une volée de marches. La pièce que Luna découvrit la laissa muette d'admiration. Kendhal aussi semblait subjugué.

Une monumentale bibliothèque avait été aménagée au cœur d'une vaste caverne creusée dans les parois de l'ancien volcan qui encerclait le lagon. Un escalier en spirale, au centre, permettait d'atteindre deux autres étages. Des milliers d'étagères ornaient tous les murs sur plus de dix mètres de hauteur et offraient à leurs yeux ébahis les dos de centaines de milliers d'ouvrages.

— Je ne savais pas que vous possédiez

une bibliothèque! murmura Luna en faisant quelques pas timides dans l'immense salle.

— Ah, tu vois! ricana Sylmarils. Tu as beau dire que tu connais tout d'Océanys, il y a encore deux ou trois petites choses que tu ignores.

— C'est magnifique… murmura Kendhal, en caressant déjà les couvertures craquelées de quelques livres anciens. J'ai passé une grande partie de ma vie dans les bibliothèques d'Aman'Thyr. J'aimais leur ambiance feutrée, l'odeur des parchemins, le bruit particulier des pages lorsqu'on les tourne. Mais celle-ci les dépasse toutes en taille et certainement en nombre d'ouvrages.

— Mon père adore les livres, confessa Sylmarils. C'est pour cette raison qu'il a installé sa bibliothèque ici, bien à l'abri des regards, et surtout de l'eau. Cette salle est située au-dessus du niveau de la mer et ne risque donc pas d'être inondée. Fulgurus dissimule ici de véritables trésors, des exemplaires uniques au monde de livres oubliés de tous, tant ils sont vieux.

— Mais comment se les est-il procurés? demanda Kendhal.

— Lorsque des navires font naufrage, l'un des premiers trésors que nous récupérons, ce sont les livres. Les bijoux, l'or et toutes les autres richesses nous intéressent nettement moins.

— D'accord, d'accord, on a compris, la coupa gentiment Luna. Et, parmi tous ces livres, tu en as déniché un qui parle d'Ysmalia. C'est ça?

— Pas du tout! riposta Sylmarils, le regard brillant de joie.

— Tu as trouvé une carte marine qui nous indique où se trouve précisément Ysmalia? tenta Kendhal.

— Tout faux!

— Alors quoi? s'impatienta Luna qui avait horreur des devinettes.

Sylmarils prit un air de conspiratrice.

— Figurez-vous que, lorsque Thyl m'a parlé d'Ysmalia, de ton désir de rallier ces terres lointaines et de la possibilité d'y aller aux beaux jours en volant ou en nageant, eh bien, j'ai aussitôt eu une autre idée. Je mourais d'envie de venir t'en parler, mais je ne pouvais rien te dire sans m'en être ouvert à mon père d'abord. Je suis donc allée le trouver. Et Fulgurus m'a donné son accord. En fait, il avait remarqué que tu boudais depuis quelque temps et il se demandait bien pourquoi.

L'adolescente s'empourpra, un peu vexée d'être aussi transparente.

— Ne te méprends pas! Mon père te comprend. Et, même s'il meurt d'envie de vous garder à Océanys, il sait combien il est important pour un peuple de posséder une terre à soi. Ici, nous sommes chez nous, nos aïeux se sont battus pour obtenir ce lagon, ils ont parfois payé sa conquête de leur vie. Océanys a une histoire, notre histoire qui s'est bâtie au fil des siècles. Vous aussi, vous avez besoin d'une terre qui vous appartienne, où vous pourrez prendre racine et faire naître votre propre histoire.

Kendhal et Luna hochèrent la tête de concert, émus que Fulgurus les comprenne aussi bien, même s'ils ne voyaient pas le rapport avec la bibliothèque. Soudain Luna eut une illumination.

— Ton père connaît une autre terre plus proche et il accepte de partager son secret avec nous ?

— Non plus… pouffa Sylmarils en les guidant parmi les allées silencieuses.

— Je sais ! s'écria Kendhal. Vous cachez ici un téléporteur qui pourrait nous transporter sur une nouvelle terre ?

— Encore raté !

Mais son hilarité commençait à agacer Luna.

— Bon, il y en a assez ! s'exclama-t-elle. Vas-tu enfin nous dire pourquoi tu nous as amenés ici et pourquoi à présent tu nous fais faire des détours interminables entre les étagères ?

Sans dire un mot de plus, Sylmarils s'arrêta devant un pan de mur couvert d'ouvrages et glissa sa main entre deux livres carmin. Un léger cliquetis se fit entendre; l'étagère glissa sur un rail invisible et s'ouvrit sur la gueule sombre d'un tunnel. Sans hésiter, la jeune princesse s'y engagea.

De plus en plus intrigués, Luna et Kendhal échangèrent un regard incrédule. Ni l'un ni l'autre n'aurait pu deviner l'existence de ce passage secret. Ils suivirent l'océanide en silence, le cœur battant. Pourtant, après une descente en pente douce, leur cœur à tous deux rata un battement.

Là, devant leurs yeux ébahis, dans un bassin naturel situé au milieu d'une autre grotte, flottait une superbe caravelle.

— Je vous présente *La folie d'Acuarius*, annonça fièrement Sylmarils. On l'a retrouvée un jour, échouée sur notre côte, sans aucun passager à l'intérieur. Depuis, c'est le navire particulier de mon père. Enfin, c'était… car, à partir d'aujourd'hui, ce bateau est le vôtre !

# 2

Bien plus modeste que les frégates des trois capitaines ou que la goélette du minotaure, la caravelle de Fulgurus n'avait pourtant rien à leur envier. Longue d'une vingtaine de mètres, elle avait une silhouette élégante et bien équilibrée. Ses deux mâts en pin massif, solidement plantés, touchaient presque le plafond de la caverne. À la proue, une sirène sculptée et superbement peinte semblait supporter à la force de ses bras le mât de beaupré qui pointait fièrement. À la poupe se dressait le château arrière sur lequel trônait une magnifique roue. Le pont en chêne verni brillait sous la lumière des flambeaux fichés dans les murs et faisait ressortir l'éclat mat des cordes de chanvre méticuleusement enroulées et rangées. *La folie d'Acuarius*, puisque tel était son nom, était superbe !

— Tu veux dire que ton père nous donne ce navire ? répéta Kendhal, abasourdi.

L'océanide hocha la tête. Elle semblait réellement contente de son effet de surprise.

— Tu es vraiment formidable, Sylmarils ! s'écria Luna en l'étreignant avec force. Grâce à toi et à ton père, nous allons pouvoir aller à Ysmalia !

— Et tu ne crois pas si bien dire en disant « nous », rétorqua la jeune femme. Parce que je viens avec vous.

— Et Thyl ?

— Il m'accompagnera, rétorqua Sylmarils avec un sourire espiègle.

Un bruissement d'ailes fit sursauter Kendhal et Luna. Ils pivotèrent et découvrirent avec stupeur Thyl, Allanéa et Hoël qui volaient autour des haubans.

— Et comment, que nous vous suivrons ! déclara l'empereur des avariels avec panache en se posant sur le bastingage. On a toujours besoin de quelque avariel avec soi.

— Et puis nous formons une bonne équipe, non ? ajouta Allanéa en adressant un clin d'œil complice à Luna.

L'adolescente, qui se rappelait leur équipée sur l'île de Tank'Ylan, lui sourit en retour. Avec ce bateau, ils pourraient faire la route en toute sécurité et Ambrethil n'aurait plus aucun argument valable pour lui interdire de faire partie de l'aventure. Soudain, une ombre vint obscurcir cet idyllique tableau.

— Eh! Mais nous n'avons pas de capitaine!

Deux silhouettes jaillirent alors des flots dans une gerbe bruyante d'éclaboussures. Kern et Gabor, les facétieux cousins de Sylmarils attendaient leur tour, discrètement tapis entre le quai et la coque du bateau.

— Et nous, alors? s'exclamèrent-ils de concert.

— Vous êtes vraiment capables de piloter un tel navire? s'étonna Kendhal.

— Ben, qu'est-ce que tu crois? Nous sommes très polyvalents, dans la famille!

Luna éclata de rire, ravie de la tournure que prenaient les choses.

— Bon, il ne reste plus qu'à convaincre Darkhan de venir avec nous et toutes les races d'elfes seront réunies! constata-t-elle.

— Pourquoi pas Platzeck?

— Jamais il ne laissera Cyrielle toute seule. Imagine que notre voyage dure plus longtemps que prévu et qu'elle accouche sans lui. Il s'en voudrait terriblement.

— Tu as raison. Mais tu crois que Darkhan va quitter Assyléa et Khan pour nous accompagner? fit Kendhal, sceptique.

— J'espère! Ça lui ferait le plus grand

bien, d'ailleurs! Je trouve personnellement qu'il a tendance à se laisser aller, depuis que nous sommes ici. Il s'est un peu empâté, tu ne trouves pas?

Kendhal capitula en éclatant de rire. Quand Luna avait décidé quelque chose, il était difficile de la faire changer d'avis. Si elle voulait que son cousin l'accompagne, il y avait fort à parier que Darkhan serait de l'aventure.

— Et Elbion? ajouta-t-il. Tu vas également lui demander de venir?

— Bien sûr! On forme une équipe, tous les deux. Et puis, ces temps-ci, je le trouve un peu mou. Lui aussi a besoin d'exercice!

Le bonheur de Luna faisait tellement plaisir à voir que Kendhal ne résista pas à la prendre dans ses bras pour déposer un baiser sur sa joue. Après quoi, il l'entraîna vers la sortie.

— Allons prévenir Ambrethil de notre départ imminent!

Il ne fallut qu'une minute à Elbion pour accepter de suivre sa sœur, une heure à Darkhan pour faire comprendre à sa femme qu'il ne pouvait laisser Luna partir seule et une journée à Ambrethil pour accepter de laisser partir sa fille chérie.

Deux jours plus tard, les cales de la caravelle étaient pleines de vivres, ainsi que de tonneaux de vin et d'eau douce. Personne ne savait combien de temps durerait le voyage et il valait mieux prévoir plus de provisions que pas assez. Chacun avait fait son sac, privilégiant les vêtements chauds et imperméables afin d'affronter avec le moins d'inconvénients possible les interminables averses que le ciel ne se lassait pas de déverser sur eux. Armés de boussoles, de compas, d'astrolabes et de cartes marines, Kern et Gabor se sentaient prêts à affronter l'océan inconnu et ses mystères.

Le départ eut lieu en présence d'un petit comité. Sur le quai, Scylla et les louveteaux, Assyléa et Khan, Ambrethil, Edryss accompagnée de Platzeck et Cyrielle dont le ventre s'était nettement arrondi ces derniers temps regardèrent Fulgurus ouvrir les portes de la caverne. Non sans un pincement au cœur, les spectateurs virent *La folie d'Acuarius* larguer les amarres et s'éloigner lentement, en emportant à son bord les êtres auxquels ils tenaient le plus. Dans le secret de leur cœur montèrent des prières silencieuses. Qu'ils crussent en Abzagal ou en Eilistraée, les elfes espéraient qu'Acuarius, dont le nom brillait en lettres d'or sur la coque, veillerait sur eux durant leur traversée et les ramènerait tous sains et saufs.

À bord, Luna contenait sa joie. Elle salua une dernière fois ses amis avec de grands gestes avant de se retourner vers les deux capitaines. Si, sur la frégate d'Oreyn, elle n'avait eu qu'à se laisser porter, cette fois elle comptait bien participer activement aux manœuvres. Ils n'étaient que neuf et l'adolescente devrait accomplir toutes les tâches qui incombaient au mousse, sauf celles qui supposaient de monter dans la voilure. Ça, ce serait le travail des avariels. Quant à Sylmarils, elle jouerait les maîtres-coqs. De cuisiner pour dix membres d'équipage – il ne fallait pas oublier Elbion ! – ne lui faisait pas peur. Au contraire, elle adorait ça.

Malgré le temps humide et les ondées qui trempaient déjà le pont et les hommes, Luna était extrêmement heureuse. Ravie d'avoir quitté l'espace confiné d'Océanys, elle exécutait les ordres de Kern et de Gabor avec efficacité, sans jamais se départir de son sourire. Tout en sifflotant gaiement, elle resserrait un nœud par ci, en défaisait un autre par là, pliait une voile, en recousait une autre… Rien ne pouvait entamer son enthousiasme. Quand ses forces n'étaient pas suffisantes, Elbion venait à sa rescousse, attrapant les cordages dans sa gueule pour souquer au maximum, ou tirant un sac de voiles trop lourd pour sa sœur.

*La folie d'Acuarius* était heureusement un navire facile à manœuvrer. Sur la mer émeraude frangée d'écume de nacre, elle voguait vaillamment en ondulant sur les vagues, cap au sud-ouest. Tout désormais n'était plus question que de patience. Un jour ou l'autre, Ysmalia apparaîtrait à l'horizon et alors commencerait la véritable aventure.

Hélas, la rudesse de la vie de marin mit l'endurance de Luna à l'épreuve. Après trois jours seulement de navigation, la jeune fille, qui avait présumé de ses forces, était épuisée. Elle ne rêvait plus que d'aller faire une longue sieste dans une des cabines douillettes du château arrière. Ses paumes rougies chauffaient et elle ne sentait plus ses bras. Pourtant les ordres étaient clairs : tout le monde sur le pont et pas de traitement de faveur !

— Je comprends pourquoi Sylmarils a choisi la cuisine ! ronchonna l'adolescente pour elle-même en essayant de démêler un paquet de cordes trempé de ses doigts engourdis par le froid. Elle, au moins, elle est au chaud et à l'abri de cette maudite pluie qui n'en finit pas. Demain, je me propose pour l'aider !

Le reste de la journée se déroula sans incident, sur une mer relativement calme, mais la bruine glacée avait sapé la bonne humeur générale. Plus personne ne sifflotait ni ne chantonnait. Les sourires avaient déserté les visages. Lorsque la nuit tomba, on réduisit la toile et les tours de veille furent assignés. Tout le monde souffla de soulagement, sauf Gabor et Thyl qui resteraient sur le pont pour maintenir le cap. En milieu de nuit, Kern et Darkhan prendraient le relais.

Affamée, Luna mangea comme quatre. Une fois dans la cabine qu'elle partageait avec Allanéa, elle troqua ses vêtements trempés pour un gros pull sec et chaud et s'enroula dans sa couverture sans un mot. Elle sombra aussitôt dans un sommeil sans rêves.

Le lendemain, comme Luna insistait, Kern accepta qu'elle donne un coup de main à Sylmarils. Elle avait bien travaillé la veille et elle méritait un peu de répit. Ravie d'être à l'intérieur, l'adolescente ne ménagea pas sa peine. Elle éplucha les algues et les plantes aquatiques qu'elle coupa ensuite en morceaux pour la soupe. Elle décortiqua deux kilos de crevettes qu'elle agrémenta de sauce pour l'entrée. Pour finir, elle écailla et vida plusieurs maquereaux fraîchement pêchés. Mais très vite le confinement dans un espace restreint, la houle, de même que l'odeur et la vue des boyaux ensanglantés, lui donnèrent la nausée. Une main sur la bouche pour s'empêcher de vomir, elle bafouilla une excuse et remonta en vitesse sur le pont. Appuyée au bastingage, elle fit passer son petit-déjeuner par-dessus bord.

Inquiet, Elbion s'approcha d'elle.

— Ça va ?

— Pas trop. J'ai terriblement honte. Il n'y a qu'à moi que ça arrive, ce genre de truc !

— Tout le monde sait que le mal de mer ne se contrôle pas, la rassura-t-il. Reste un peu à l'air libre et ça ira mieux. Surtout qu'il ne pleut pas, aujourd'hui.

— Tu as raison. Merci de ton soutien, fit-elle en caressant le museau de son frère.

Elbion en profita pour jeter un coup d'œil autour de lui. Comme personne ne semblait avoir besoin d'eux pour le moment, il hésita. Le moment tant redouté était-il arrivé ? Devait-il libérer sa conscience et révéler son secret à Luna ? Depuis qu'ils avaient quitté les terres du Nord, ses remords lui rongeaient l'âme. Il aurait dû tout lui raconter depuis bien longtemps. Il avait certes tenté de le faire à deux ou trois reprises, mais à chaque fois il s'était ravisé à la dernière seconde. Seule Scylla savait.

— Dis, Luna, il faut que je te parle de…

— Eh ! c'est quoi, ce truc ? s'écria Luna en pointant un doigt vers la crête d'une vague. Tu as vu ça ?

— Heu, non, quoi ?

Mais l'adolescente avait reculé. Apeurée, elle hélait déjà ses compagnons.

— Kern, j'ai vu quelque chose de bizarre dans l'eau! C'était énorme et tout noir.

Le capitaine observa la mer à l'endroit indiqué, mais ne vit rien.

Soudain, une brusque secousse ébranla le bateau. La coque vibra, comme percutée par une masse énorme. Luna chancela et se raccrocha à un tonneau ficelé au mât de misaine. Kern et Gabor, agrippés à la barre, se regardèrent, inquiets.

— Qu'est-ce qui se passe? s'exclama Sylmarils en faisant irruption sur le pont, les traits décomposés. On a heurté un rocher, ou quoi?

— Impossible, répondit Gabor en se penchant au-dessus du bastingage pour tenter d'apercevoir quelque chose. On est en pleine mer; il n'y a pas de hauts-fonds par ici.

Pourtant un deuxième choc fit vibrer la caravelle, plus long et plus fort que le premier. Alors, sans que personne ne s'y attende, Gabor arracha sa chemise d'un geste plein de colère.

— J'y vais! lança-t-il. Quoi que ce soit, cette chose va endommager la coque, si elle continue ainsi.

Avant que son jumeau ait eu le temps de le retenir, Gabor plongea dans les eaux sombres et profondes. Un silence de mort s'abattit sur le navire. Tous les membres de l'équipage se dévisageaient avec gravité et personne n'osait plus rien dire. Une minute, puis deux, puis cinq s'écoulèrent sans qu'aucun choc ne se reproduise, mais l'océanide n'était toujours pas remonté. Hoël, Thyl et Allanéa décidèrent de survoler la surface de l'eau pour essayer d'apercevoir la créature qui les attaquait, mais ils ne distinguèrent rien.

La troisième secousse fut la plus violente. En sentant leur embarcation se soulever et retomber lourdement, les elfes crièrent. La chose qui s'en prenait à *La folie d'Acuarius* devait posséder une force fabuleuse. Luna songea aussitôt aux pieuvres géantes ou aux serpents de mer dont parlaient les légendes océanides. Effrayée, elle se demanda si son pouvoir pourrait venir à bout d'un tel monstre.

Mais Sylmarils, elle, n'avait pas peur. N'y tenant plus, elle sauta à son tour dans l'océan tout habillée. Thyl hurla, mais trop tard. Sa bien-aimée avait déjà disparu, engloutie par les flots sombres. Désespéré, l'avariel se mit à frôler les vagues, au risque de se faire emporter à son tour.

Hoël lui hurla de revenir, pendant que, de leur côté, Kendhal et Darkhan suppliaient Kern de rester à bord. Si lui sautait, ils n'auraient plus de capitaine.

Soudain, l'impensable se produisit! Alors que Thyl, fou d'inquiétude, plongeait sa tête dans les flots pour tenter d'apercevoir son amie, il percuta de plein fouet une énorme masse noire qui jaillit brusquement des flots. Le mastodonte aquatique le souleva en l'air comme un jouet ridicule. L'avariel n'eut pas le temps de se rétablir ; il retomba lourdement dans les eaux glacées de l'océan, pendant que le monstre s'écrasait à son tour en faisant éclater la surface dans d'impressionnantes gerbes d'écume.

Luna qui avait assisté à toute la scène ne s'essuya même pas. Elle était pétrifiée d'horreur. Trois de leurs amis venaient de disparaître sous leurs yeux. Peut-être étaient-ils tous morts, dévorés par le mystérieux monstre marin.

Soudain, la tête de Thyl réapparut, minuscule, comme une bouée perdue ballottée par les vagues. Gabor jaillit à son tour en faisant son possible pour maintenir l'avariel à flot.

— Vite ! Allanéa et Hoël, venez le chercher !

Les deux elfes ailés accoururent et arrachèrent leur ami aux flots impétueux. Contre toute attente, Gabor replongea.

« Il va chercher Sylmarils… » songea Luna, le cœur battant.

Lorsque les cheveux bleus de son amie et la tignasse verte de Gabor surgirent brusquement hors de l'eau et que les deux océanides, souriants, leur firent signe que tout allait bien, l'adolescente souffla de soulagement. Ils étaient sains et saufs! Ils avaient réussi à neutraliser la créature sous-marine. Mais…

Sous leurs yeux ébahis, les corps de Sylmarils et de Gabor remontèrent à la surface, complètement droits comme s'ils se tenaient debout sur une planche, un radeau, un rocher… Mais ce fut l'énorme masse noire du monstre qui apparut sous leurs pieds, aussi longue que la caravelle, mais plus massive et surtout plus… vivante.

Sur le navire, les elfes médusés par cette apparition poussèrent un cri de stupeur mêlée d'effroi. Cette bête allait-elle engloutir leurs amis sous leurs yeux? Avaient-ils le temps de l'attaquer, de la blesser, ou même de la tuer?

— Ne lui faites pas de mal! leur cria Sylmarils, comme si elle avait lu dans leurs pensées. Elle voulait juste jouer.

— Mais on lui a expliqué que ce n'était pas une très bonne idée, ajouta Gabor.

— On a eu du mal. Elle est drôlement têtue!

Sur le gaillard arrière, Darkhan et Kendhal n'en revenaient pas. Ce monstre redoutable qui avait failli fracasser leur bateau voulait jouer!

— Mais c'est quoi, au juste? murmura l'elfe noir comme pour lui-même.

— Une baleine! répondit Kern dans son dos.

La baleine s'appelait en réalité Ahana. Il s'agissait d'une jeune femelle qui avait quitté le troupeau maternel à la recherche d'un mâle. En quête de compagnie, elle avait vite repéré *La folie d'Acuarius* et était venue se frotter à la coque en signe d'amitié. Sylmarils et Gabor avaient éprouvé quelque difficulté à lui faire comprendre que ses démonstrations d'affection risquaient bel et bien de faire chavirer l'embarcation. La baleine avait fini par entendre raison. En échange de la présence quotidienne d'un des océanides à ses côtés, elle avait même accepté de les guider vers les côtes d'Ysmalia qu'elle connaissait bien. Ces eaux où elle avait grandi n'avaient aucun secret pour elle.

Les jours suivants se déroulèrent sans incident. Kern, Gabor et Sylmarils se relayèrent aux côtés d'Ahana. Malgré la fraîcheur de l'eau, ils prenaient plaisir à converser avec elle. Étonnante de sagesse, la baleine était un véritable puits de science. Nourrie par la mémoire collective de ses aïeules, elle leur raconta mille histoires plus passionnantes les unes que les autres. À son contact, les océanides apprirent plus en quelques jours qu'en vingt ans à Océanys.

Pendant ce temps, la vie continuait à bord. Chacun avait trouvé sa place et son rôle. Luna ne ronchonnait plus. Elle avait accepté la pluie comme une fatalité. Elle domptait les cordages, les nœuds et les voiles comme un parfait petit mousse et remplaçait Sylmarils en cuisine dès que son amie allait rejoindre Ahana. Très vite, elle s'habitua aux odeurs et à la vue des tripes écarlates, ne songeant qu'aux compliments que lui feraient ses amis en dégustant ses plats.

Enfin, un beau matin, le ciel s'éclaircit. Les lourds nuages gris qui les avaient suivis jusque-là furent chassés par une brise sèche et tiède. Les cumulus se déchirèrent lentement, puis ils s'étirèrent et se délitèrent complètement pour laisser apparaître un azur parfait. Les rayons d'un soleil oublié leur réchauffèrent agréablement la peau.

— Terre! s'exclama soudain Allanéa comme si elle criait de victoire.

# 3

Accrochée à la crinière noire de son griffon de l'ombre, Matrone Sylnor volait en tête de son armée. Elle ne s'était pas sentie aussi bien depuis longtemps. Sa vengeance était accomplie et l'heure de rentrer à Rhasgarrok avait enfin sonné. Les milliers de drows partis en guerre à ses côtés allaient pouvoir rejoindre leur riche demeure et relancer leurs affaires trop longtemps négligées. Après ces dernières semaines d'inactivité, de prendre le chemin du retour les avait soulagés.

Pourtant, une cinquantaine de drows volontaires avaient préféré rester à Lloth'Mur pour monter la garde. La forteresse de Naak'Mur, rebaptisée ainsi en l'honneur de la déesse araignée, serait le premier bastion drow des terres du Nord. Les guerrières chargées de sa surveillance guetteraient les réactions des humains et veilleraient à ce qu'aucun d'entre eux ne s'en approche de trop près. En cas d'attaque ou de siège, quelques drows chevaucheraient leur pégase noir pour avertir Rhasgarrok et mater au plus vite ces tentatives d'invasion. Mais Sylnor savait que les humains ne tenteraient rien contre eux. D'abord parce qu'ils ne s'aventuraient jamais dans les parages de la citadelle, ensuite parce qu'ils étaient trop couards pour oser s'attaquer à de puissants elfes noirs.

La jeune matriarche sourit intérieurement. Elle s'avoua qu'elle aussi avait hâte de rejoindre son monastère. Après des mois d'absence, il faudrait certainement y remettre un peu d'ordre. Certaines clercs auraient sans doute pris quelque initiative fâcheuse, deux ou trois maisons inconscientes auraient peut-être fomenté des complots qu'il lui faudrait mater, et quoi encore… Bref, elle était pressée de regagner son domaine pour le reprendre en main.

Pourtant, son retour devrait attendre quelques heures encore. Matrone Sylnor avait en effet décidé de s'arrêter près des ruines de Laltharils. Obsédée par le désir de retrouver sa mère et sa sœur, elle n'avait pas pris le temps de fouiller ces lieux où avaient jadis vécu ses ancêtres. Non qu'elle fût nostalgique, bien au contraire. Elle ne voulait aucunement s'imprégner des lieux ni sentir vibrer la muette présence de ses anciens habitants. De toute façon, tout n'était désormais que ruines et cendres. Mais elle voulait s'assurer qu'aucun survivant ne se terrait dans ces décombres. Elle voulait également détruire les idoles païennes de ces impies et souiller ce qui restait de leurs temples ; elle voulait marquer une fois encore sa suprématie en anéantissant toute trace de vie physique ou spirituelle qu'auraient laissée ses ennemis.

Ylaïs, la première prêtresse, aurait préféré ne pas s'attarder dans cet endroit, mais elle n'était que le bras droit de la matriarche et à ce titre elle devait une obéissance sans faille à sa supérieure. Tout se déroulerait donc selon les ordres de la grande prêtresse de Lloth.

Lorsque l'armée drow arriva en vue du lac de Laltharils, le cœur de la jeune matriarche se mit à battre plus fort. En survolant la rive ouest, elle avisa les ruines d'un village. C'était tout ce qui restait d'Hysparion. Certains murs tenaient encore debout ; quelques toitures d'ardoise avaient apparemment résisté aux explosions. Son visage se contracta.

— Ylaïs, cria-t-elle à sa voisine de droite, prends un escadron avec toi et file patrouiller dans ce secteur. Visite les décombres. Saccage et pille tout ce que tu veux avant de raser complètement cet endroit. Je veux qu'après notre passage il ne reste aucune trace de ces habitations!

— Et si nous trouvons des survivants?

— Pas de quartier! Égorgez-les sans pitié! fit-elle sèchement. Oh, non, attends, j'ai une bien meilleure idée. Capture-les et amène-les-moi. Ça fait longtemps que notre chère Lloth n'a pas eu de sacrifice en son honneur! Si des elfes se cachent ici, nous offrirons leur cœur encore palpitant à notre bien-aimée protectrice.

— Vous pouvez compter sur moi, maîtresse! déclara Ylaïs en fondant vers les ruines.

Un escadron de drows avides d'action s'empressa de la suivre, tandis que matrone Sylnor poursuivit sa route vers le nord. Arrivée au-dessus de ce qui restait de la cité elfique, elle dirigea son griffon vers une esplanade suffisamment large pour pouvoir y poser son armée. Elle sauta à terre la première et promena son regard azur sur les vestiges de la glorieuse Laltharils.

« Glorieuse, tu parles! » ricana-t-elle mentalement.

Ravagé par les explosifs et les flammes, l'endroit ne ressemblait plus à rien. Des somptueuses maisons, des ruelles ombragées et des patios fleuris, il ne restait plus rien. Seuls quelques murs du palais et les fondations d'une tour semblaient avoir été épargnés par miracle.

— Que fait-on, Votre Grandeur ? lui demanda l'un de ses généraux.

— Répartissez-vous en escadrons et fouillez cet endroit dans ses moindres recoins. Détruisez toute idole païenne que vous trouverez, mais ne tuez personne. Je veux pouvoir interroger et torturer d'éventuels prisonniers. Compris ?

— Compris, mais, sauf votre respect, je ne vois guère ce qu'on pourrait trouver d'intéressant par ici. Tout est…

Sa pommette éclata sous l'impact de la main gantée de Sylnor.

— Ne discute pas mes ordres ! aboya-t-elle, furieuse. Contente-toi d'obéir. La prochaine fois que tu oseras t'opposer à moi, je te donne en pâture à mon griffon !

Le général baissa les yeux, honteux, en louant la clémence extrême de sa maîtresse qui aurait pu le condamner sur-le-champ. Il s'empressa d'obéir à ses ordres avec une servilité décuplée.

La jeune femme, quant à elle, s'entoura de ses plus loyales guerrières et les entraîna vers ce qui restait du palais. Elles grimpèrent la volée de marches de l'entrée principale en évitant les énormes blocs de pierre qui avaient atterri là lors des explosions.

En pénétrant dans le hall pourtant dévasté, elle prit conscience que l'endroit avait réellement dû être somptueux. Impassible et hautaine extérieurement, Sylnor sentait néanmoins son esprit tiraillé par l'émotion. Dire que sa mère avait vécu là… qu'elle avait emprunté ces mêmes marches, qu'elle avait foulé ce sol et posé ses mains sur cette balustrade sculptée!

D'un geste de dégoût, Sylnor rejeta en bloc ces sentiments dérangeants.

— Détruisez-moi tout ça! ordonna-t-elle à ses guerrières.

D'un pas vif, elle emprunta ce qui restait d'un couloir pour atteindre les bases de la tour encore intactes. Elle passa soudain devant une imposante statue de marbre blanc, miraculeusement épargnée par les flammes et la destruction. Elle représentait un vieillard aux traits nobles dont la longue barbe couvrait une partie du buste droit et fier. L'artiste avait su rendre le regard de pierre brillant d'intelligence et de sagesse. Sylnor comprit de qui il s'agissait avant de lire l'épitaphe gravée sur le socle de la statue.

«Grand-père…» songea-t-elle, une boule d'amertume coincée dans la gorge.

Elle ne put s'empêcher de comparer la stature et la noblesse du personnage à la silhouette malingre et voûtée d'Askorias, feu son grand-père paternel. Un élan de haine assaillit aussitôt sa pensée. Pourquoi sa sœur honnie avait-elle eu le droit de connaître Hérildur et pas elle? Pourquoi cet homme bon et majestueux avait-il offert sa tendresse à Luna et pas à elle?

Une bouffée de jalousie fit monter en elle une rage implacable. Brusquement, un orbe d'énergie jaillit de son esprit et frappa de plein fouet la statue. Son grand-père explosa dans un épouvantable fracas.

Lorsque les guerrières accoururent, effrayées à l'idée qu'il soit arrivé malheur à leur maîtresse, il ne restait plus d'Hérildur que débris et poussière.

Furibonde, matrone Sylnor s'élança vers la tour et grimpa les premières marches avant de se raviser. Il serait peut-être plus prudent de demander à son escorte de la précéder. Si un survivant se dissimulait là, ses guerrières auraient tôt fait de le maîtriser.

Grand bien lui en prit, car les drows avaient à peine atteint le premier palier qu'un énergumène hirsute au regard luisant de haine leur sauta à la gorge. Il planta son poignard dans la gorge offerte de la première guerrière et balafra la deuxième avant d'être désarmé par la troisième.

— Monstres! hurlait-il comme un forcené en se débattant. Sales garces! Vous avez détruit tout ce que je possédais. Je vous hais! Je vous maudis!

L'une des guerrières le fit taire en lui jetant un sort de paralysie juste avant que matrone Sylnor arrive. Elle ne cacha pas sa répulsion pour cet être avili par la crasse et rongé par la vermine. La puanteur qu'il dégageait était à peine respirable. Pourtant, derrière la boue et les excréments qui maculaient sa peau et ses cheveux, elle devina son ascendance elfique.

— Tu ne t'attendais pas à nous revoir, n'est-ce pas? Pourtant, moi, je suis ravie de te découvrir ici. Voyons un peu ce que recèle ton esprit!

La matriarche pénétra violemment les pensées du rescapé et sonda les tréfonds de son âme avec la délicatesse d'un scalpel. Le prisonnier, pétrifié, ne broncha pas, mais la douleur fut tellement intense qu'il en perdit connaissance. Cela ne gâcha en rien le plaisir de la jeune fille qui poursuivit son exploration mentale. Ce type était une véritable mine de renseignements et il aurait été dommage de ne pas en profiter.

— Amenez-le en bas, décréta-t-elle au bout de longues minutes. Je veux que tous puissent assister à son sacrifice! Ce n'est pas tous les jours qu'on exécute un elfe de soleil, le général en chef du roi, de surcroît!

— Souhaitez-vous qu'on explore l'étage supérieur? demanda la guerrière balafrée en essuyant sa plaie sanglante.

— Non, j'ai lu dans l'esprit de ce misérable qu'il vivait seul ici. Tous les autres ont fui, abandonnant derrière eux celui qu'ils considéraient comme un traître. Apparemment, ce cher Bromyr a été condamné à la prison pour une sombre histoire de talismans volés. Mais en vérité, au fond de son cœur, cet elfe honnit ceux de notre race. Il exècre notre cruauté et notre sadisme. Nous allons lui prouver à quel point il est en deçà de la vérité!

Un rire cristallin résonna dans l'escalier.

— Détruisez cette tour, qu'il ne reste aucune trace de Laltharils, la glorieuse!

À la tombée de la nuit, sous la clarté laiteuse de la lune, les cris de Bromyr retentirent longtemps. Très longtemps.

Même l'autre survivant, tapi dans l'ombre d'un arbre, dut s'enfuir très loin pour éviter de sombrer à son tour dans la folie. Les drows étaient vraiment des êtres monstrueux. Leur goût pour le sang était décidément trop prononcé pour qu'on puisse un jour caresser l'espoir de les changer. Cette Sylnor était par ailleurs la pire matriarche que ce peuple déchu ait jamais connue. Le vieil elfe sylvestre songea avec angoisse que la tâche qui attendait sa petite Luna serait sûrement la plus difficile de toute sa vie.

# 4

Toutes voiles dehors, *La folie d'Acuarius* filait à vive allure, comme aimantée par cet horizon tant convoité. Tous avaient les yeux rivés sur la mince bande de terre à peine visible à quelques milles encore. Leurs cœurs battaient à l'unisson, pleins de questions et de doutes, mais gorgés d'espoir.

Ahana aussi sentait leur fébrilité. Afin de leur montrer qu'elle partageait leur bonheur, elle se mit à faire des sauts incroyables. Défiant les forces de la pesanteur, elle parvenait à s'éjecter entièrement hors de l'eau et se laissait retomber dans un nuage d'embruns scintillants sous la lumière du soleil. Sa nageoire caudale les saluait avec élégance avant de disparaître à son tour dans les flots tourbillonnants. Malgré sa corpulence et sa taille, la baleine leur offrait un ballet plein de grâce et de poésie dont l'équipage s'émerveilla. Lovée dans les bras de Kendhal, Luna gravait ces images merveilleuses dans son esprit. Toute sa vie elle se souviendrait de ce moment-là.

En milieu de journée, ils mangèrent rapidement quelques dorades fraîchement pêchées et grillées sur le pont, car ni Sylmarils ni Luna n'avaient eu le courage de descendre s'enfermer dans la cuisine. Le beau temps, la côte qui se découpait plus nettement au loin et la présence bienveillante d'Ahana les poussaient à rester dehors.

Le vent du sud remplissait les sept voiles de la caravelle qui remontait fièrement au près. La ligne foncée qui barrait l'horizon s'épaississait peu à peu. D'heure en heure, elle s'agrémentait de courbes et de crêtes et le paysage se para bientôt progressivement de couleurs. Le blanc crémeux du sable contrastait avec le vert vif de la végétation, mais, ce qui dominait, c'était l'ocre et le gris des falaises qui se découpaient sur l'azur parfait du ciel. Comme un tableau sous la main du maître, Ysmalia prenait vie devant leurs yeux ébahis.

En fin d'après-midi, ce n'était plus une île, mais un véritable continent fascinant et mystérieux qui s'offrait à eux. Ce fut à ce moment-là qu'Ahana leur fit ses adieux. Si le voyage des elfes touchait à son but, le sien ne faisait que commencer. La baleine fit deux derniers sauts majestueux pour les saluer et les remercier de leur compagnie avant de disparaître dans les profondeurs de l'océan. Tous éprouvèrent un pincement au cœur. Le terrifiant monstre marin du début s'était vite mué en une compagne charmante et bienveillante. L'équipage la regretterait, c'était certain. Mais, pour le moment, ils avaient une autre préoccupation, trouver au plus vite un endroit abrité pour passer la nuit.

Hélas, ni les longues plages balayées par le vent ni les hautes falaises qui tombaient à pic dans les eaux agitées ne convenaient à Kern et Gabor. Les deux capitaines, qui espéraient trouver avant le coucher du soleil une anse paisible dans laquelle *La folie d'Acuarius* pourrait mouiller en toute sécurité, décidèrent de longer la côte.

Assise sur le gaillard avant, Luna ne perdait pas une miette de cette terre dont elle avait tant rêvé. Elle s'était imaginé des villages, des villes, des palais d'or et d'argent, mais jamais ces immensités sauvages peuplées uniquement de mouettes et de goélands. Pourtant, aucune déception ne ternissait sa découverte. Au contraire. Ce monde vierge n'attendait qu'eux. Les elfes pourraient y construire leurs villages, y bâtir leurs villes et y édifier leurs palais. Ysmalia serait leur terre.

Un peu avant le crépuscule, Thyl qui était parti en éclaireur revint leur annoncer qu'il avait trouvé une crique abritée non loin de là. L'endroit où ils jetèrent finalement l'ancre se révéla parfait. Protégée du vent et de la houle par deux avancées de rochers escarpés, la petite anse s'élargissait en éventail sur une plage de sable fin bordée d'arbres au tronc élancé et aux larges feuilles émeraude. Dans la lumière déclinante du couchant, l'endroit baignait dans une sérénité totale.

— Que fait-on ? demanda Darkhan en se tournant vers les deux capitaines. On passe la nuit à bord et on attend demain matin pour partir en exploration ? Ou…

— Ah non, alors ! s'interposa Luna. On y va maintenant ! J'ai envie de sentir ce sable sous mes pieds, de respirer l'odeur des arbres, de dormir à la belle étoile auprès d'un bon feu de bois.

— On ne sait rien de cet endroit, lui objecta Kendhal. Cette forêt abrite peut-être de dangereux carnivores qui profiteront de notre sommeil pour nous dévorer.

— Ou de notre absence sur le bateau pour s'en emparer ! ajouta Gabor.

— T'as déjà vu des bêtes sauvages qui volent des bateaux, toi? se moqua Allanéa.

— Eh, qui te dit qu'il n'y a pas des gens qui vivent ici?

— Et si on votait? proposa Hoël pour mettre tout le monde d'accord. Que ceux qui veulent descendre maintenant lèvent la main.

Sans s'être concertés, Luna, Allanéa, Thyl et Sylmarils levèrent la main d'un même élan. Ils étaient quatre contre cinq.

— Elbion? fit Luna, soudain pleine d'espoir. Tu dois avoir hâte de te dégourdir les pattes!

Le vieux loup la regarda droit dans les yeux.

— C'est vrai, aboya-t-il, mais je suis suffisamment sage pour attendre l'aube. Nous ignorons tout de cet endroit et des dangers qu'il abrite. De passer la nuit à bord me semble plus raisonnable.

Luna grimaça en levant les yeux au ciel.

— Faux frère! lâcha-t-elle entre ses dents.

— Bon, eh bien, c'est décidé, résuma Kendhal. Nous passerons la nuit ici. Demain, nous tirerons à la courte paille pour déterminer qui restera à bord pour garder le bateau.

— Pas besoin de s'en remettre au hasard, nous sommes volontaires! déclara Kern.

— Oui, nous en avons déjà discuté, enchaîna Gabor. Ce sera pour nous l'occasion d'explorer les fonds marins d'Ysmalia. Nous allons peut-être faire des découvertes surprenantes, qui sait?

— Mais on plongera à tour de rôle, ne vous inquiétez pas! ajouta Kern.

— Vous sur terre et nous sous la mer! C'est parfait, ça! renchérit son jumeau.

Tout le monde hocha la tête, convaincu. Pourtant, Sylmarils éclata de rire.

— Finement joué, les gars! Vous arrivez à renverser les rôles avec beaucoup d'élégance. Vous vous dévouez et prétextez une exploration sous-marine, alors qu'en réalité vous êtes morts de trouille à l'idée de vous aventurer dans cette épaisse jungle!

— Tu rigoles, ou quoi? se rembrunit Gabor.

— Bon, c'est vrai que la forêt, les arbres et tout ça, ce n'est pas vraiment notre truc, admit pourtant son frère. Disons que ça nous rappelle trop Tank'Ylan et les abysséens. On préfère se rendre utiles autrement.

— Allez, n'en parlons plus! décréta Darkhan en leur donnant une tape amicale dans le dos. Que diriez-vous d'un bon repas? Nous avons trouvé Ysmalia; ça se fête, n'est-ce pas?

Thyl ne se le fit pas répéter deux fois; il s'empressa d'aller chercher une jarre de vin de goémon pour célébrer dignement leur découverte. Kendhal alluma les braseros, ce qui donna un air de fête à *La folie d'Acuarius*. Sylmarils remonta un tonnelet de sardines à l'huile qu'elle avait gardé pour l'occasion, ainsi que des galettes de haricots de mer. Quant à Luna, elle rassembla tous les fruits qu'il leur restait dans une grande corbeille et mit les dernières brioches au sucre dans une grande assiette. Ce soir-là, ils feraient bombance!

Les derniers jours, en effet, ils s'étaient rationnés pour ne pas se retrouver à court de nourriture. Ce festin tombait à point nommé. Et puis ils trouveraient bien sur cette terre promise de quoi restaurer leurs stocks de vivres.

Ils dînèrent en plein air dans la joie et la bonne humeur et engloutirent toutes les victuailles de bon appétit. La douceur de l'air et la clarté de la lune les firent s'attarder sur le pont. Ils restèrent de longues heures à deviser, à rire et à plaisanter. Lorsqu'il ne resta plus une goutte de vin dans la jarre, ils descendirent se coucher dans leurs cabines respectives, certains en titubant. Seul Elbion préféra dormir sur le pont.

Luna et Allanéa se laissèrent tomber sur leur couchette, les pommettes rosies par le vin. Soudain, l'avarielle pouffa de rire.

— Qu'est-ce qu'il y a? demanda Luna en se relevant sur un coude.

— Je repense aux pitreries des jumeaux. Ils sont vraiment drôles, tous les deux!

— Tu peux le dire! Ils ont réussi à me faire oublier ma frustration de ne pas débarquer ce soir.

Allanéa retrouva soudain son sérieux.

— Moi aussi, ça m'a énervée d'être arrivée jusqu'ici pour, au final, rester sur le bateau! Et encore, je n'ai pas à me plaindre; grâce à mes ailes, j'ai pu me dérouiller un peu lors de la traversée, mais, toi, tu dois être pressée de te dégourdir les jambes!

— Tu n'imagines même pas à quel point! Vivement demain!

Soudain, l'avarielle bondit de son lit, les yeux brillants d'excitation.

— Pourquoi attendre, Luna? chuchota-t-elle. Nous pourrions y aller cette nuit rien que toutes les deux!

Luna se redressa d'un coup, ouvrit la bouche et dévisagea son amie, interdite.

— On irait juste faire un petit tour de reconnaissance, pas longtemps, s'empressa d'ajouter Allanéa. Après, on rentrerait au bateau comme si de rien n'était!

Luna hésita. La proposition d'Allanéa était alléchante, mais fort déraisonnable. Darkhan et Kendhal seraient furieux s'ils venaient à apprendre leur escapade.

— Personne n'en saura rien! insista l'avarielle comme si elle avait lu dans l'esprit de Luna. Nous serons discrètes! Allez, on pose juste un pied sur la plage, on marche un peu et on revient. Promis, nous ne serons pas longues.

— Elbion dort à la belle étoile. Il va nous entendre, c'est certain, fit Luna en espérant que cet argument suffirait à dissuader son amie.

Mais c'était sans compter la ruse d'Allanéa. Elle se rua sur le hublot qu'elle ouvrit en grand. Avec souplesse, elle se glissa à l'extérieur et activa ses ailes.

— Tu viens?

Luna soupira, vaincue. Elle savait qu'elle avait tort de se laisser embarquer dans cette virée nocturne. Elle maudissait déjà sa faiblesse et se disait qu'elle allait sans doute regretter l'aventure et en avoir des remords un bon bout de temps, mais la tentation était trop forte. Sa curiosité aussi. Elle se faufila par le hublot et s'accrocha au cou de l'avarielle.

Les deux jeunes filles s'éloignèrent de la caravelle sans un bruit. Luna ne portait qu'une chemise de toile légère sur son pantalon, mais elle n'avait pas froid. L'air était étonnamment doux. C'était comme si l'automne n'était pas encore arrivé jusque-là. La lune scintillait au-dessus d'elles, faisant danser son reflet brillant dans l'eau sombre.

— Nous y voilà, murmura Allanéa en déposant son amie sur le sable. Nous sommes les premières à fouler cette terre mythique. Tu te rends compte ?

Un sentiment de fierté s'empara brusquement de Luna.

« Les premières ! Oui, nous sommes les premières ! »

Envahie par un accès d'euphorie, elle se lança dans une course effrénée. Les pieds nus, elle se mit à aller à toute vitesse d'un bout à l'autre de la plage, en bondissant et en sautant par-dessus les cailloux et les mares. Les muscles rassasiés par l'exercice, fatiguée, elle se laissa tomber dans le sable en soupirant de bonheur.

— Merci, Allanéa ! Tu as eu une idée géniale !

Elle ferma les yeux et huma pleinement les parfums iodés des algues et celui, boisé, de la forêt toute proche. Des souvenirs de Ravenstein s'imposaient à elle et menaçaient de faire chavirer son cœur quand un détail la ramena à la réalité.

— Allanéa ? fit-elle en se redressant brusquement. Allanéa, où es-tu ?

Gagnée par la panique, Luna bondit sur ses pieds et regarda partout autour d'elle. Sur la plage d'abord, dans le ciel ensuite, puis vers la mer. Un frisson glacé la cloua sur place. Allanéa avait disparu.

— Abzagal! Eilistraée! marmonna-t-elle, tremblante de peur. Je vous en supplie, faites qu'il ne soit rien arrivé à mon amie! Je vous en supplie, entendez-moi!

Avisant la lisière de la jungle, elle se dit que l'avarielle ne pouvait être que là. Elle s'y précipita sans réfléchir. Telle une louve, elle sauta par-dessus un épais buisson et se reçut avec agilité avant de repartir, plus déterminée que jamais à trouver son amie, mais ses pieds se prirent dans un enchevêtrement de lianes. Elle s'affala de tout son long.

— Chut! lui souffla soudain une voix. T'es vraiment pas discrète!

En reconnaissant le timbre d'Allanéa, Luna sentit la colère l'envahir.

— Comment as-tu pu me faire ça! s'écria-t-elle. Je te cherche depuis tout à l'heure, j'étais folle d'inquiétude et toi, toi, tu…

— Mais tais-toi donc! lui ordonna l'avarielle. J'ai entendu quelque chose, comme des voix, et j'ai voulu voir qui c'était. Viens, je suis juste là.

Intriguée, Luna se rapprocha de son amie, postée sur une branche basse à quelques mètres de là, et tendit l'oreille en se forçant à calmer sa respiration saccadée. Mais, hormis les murmures des arbres, le bruissement des feuilles et le ronflement de la terre qui dormait paisiblement, Luna ne perçut aucun son suspect, aucune voix non plus.

— Je n'entends rien, fit-elle au bout d'un moment.

— Je te jure, Luna, que j'ai entendu des chuchotements, assez forts.

— Des chuchotements forts? répéta Luna, amusée. Tu as bu trop de vin, toi!

— Mais pas du tout, je…

Soudain un étrange chant s'éleva non loin de l'endroit où elles se tenaient. Une mélopée sourde et triste, extrêmement triste. Les deux jeunes filles retinrent leur souffle, paralysées. La personne qui chantait, un jeune homme de toute évidence, semblait complètement désespérée. Les paroles étaient incompréhensibles, mais empreintes d'une telle mélancolie qu'il s'agissait probablement d'un chant d'amour.

Allanéa se détendit, troublée par cet air si poignant. Luna, au contraire, se raidit. Un sentiment de malaise s'empara d'elle. Il y avait quelque chose derrière ce chant, quelque chose d'indéfinissable qui la mettait terriblement mal à l'aise. Une odeur agressa ses narines, une odeur que l'adolescente reconnut aussitôt. Pour l'avoir déjà sentie, elle l'aurait reconnue entre mille. C'était l'odeur de la mort.

Mue par son instinct de survie, elle agrippa le bras de son amie.

— Retournons au bateau !

— Mais pourquoi ?

— Ne pose pas de question, Allanéa. On dégage, et vite !

Les yeux gris de Luna avaient la dureté de l'acier. Déroutée, l'avarielle n'eut pas d'autre choix que d'obéir. Elle déploya ses ailes et souleva l'adolescente avant de s'élever rapidement dans les airs.

Lorsque leurs silhouettes se diluèrent dans l'obscurité du ciel, la mystérieuse voix cessa de chanter. Un murmure fuyant se répandit dans la forêt comme une brume épaisse.

— Vous reviendrez bientôt. Vous reviendrez vers moi. Je le sens…

# 5

Hoël frappa à la cabine des filles. Comme aucune réponse ne lui parvint, il entrouvrit doucement la porte. Allanéa et Luna dormaient encore profondément. Il sourit.

— Debout, mesdemoiselles! s'écria-t-il. Le soleil est levé depuis une heure!

— Hum, va-t'en! bougonna l'avarielle en cachant sa tête sous l'oreiller.

Luna ne dit rien, mais elle lui tourna ostensiblement le dos et rabattit son drap sur elle. Hoël les regarda, interloqué.

— Eh, je vous rappelle que c'est ce matin, la grande aventure. On part explorer Ysmalia. Allez, tout le monde est prêt, on n'attend plus que vous!

Allanéa s'étira en gémissant et se redressa, encore tout ensommeillée. Sa longue chevelure éparse retombait négligemment sur ses épaules nues. Troublé, Hoël détourna le regard.

— La nuit a été courte, fit Allanéa en bâillant.

Comme pour se rattraper, elle ajouta :

— On a beaucoup parlé, hein, Luna ?

Blottie sous sa couverture, l'adolescente ne prit pas la peine de répondre. Allanéa soupira et attrapa sa chemise. Alors, la voix de Luna leur parvint, étouffée.

— Je n'ai plus envie d'y aller !

Devant tant de mauvaise volonté, Hoël se fâcha.

— Pour quelqu'un qui trépignait d'impatience hier soir, je te trouve bien paresseuse ! J'avoue que ça m'étonne beaucoup de toi, Luna. Tu es toujours la première partante. Allez, hop ! tu te lèves, et tout de suite ! Sinon, j'appelle Elbion et c'est lui qui se chargera de te tirer du lit.

Luna frémit à l'idée que son frère de lait puisse déceler son malaise et se douter de quoi que ce soit. Elle se redressa d'un coup et adressa un regard noir à Hoël qui haussa les épaules. Il se fichait manifestement de son ressentiment.

— Dans cinq minutes sur le pont ! fit-il en claquant la porte.

Allanéa dévisagea Luna, désemparée.

— C'est vrai que tu n'as pas envie d'y aller ?

— Je n'en sais trop rien ; j'ai comme un mauvais pressentiment. Ce qu'on a vécu cette nuit était vraiment… glauque. Bien sûr, on n'a pas fait tout ce voyage pour repartir aussitôt. Mais je suis perplexe. Il y a un danger qui nous guette, ici.

Comme Allanéa ne semblait pas particulièrement d'accord, elle insista :

— Ça ne te semble pas bizarre, à toi, qu'au beau milieu de la nuit et en pleine forêt un type se mette à chanter ainsi ?

— Oh pourtant, c'était si beau, si poignant ! s'extasia Allanéa en joignant ses mains.

— Moi, ça m'a filé la frousse, figure-toi.

— Mais c'était un chant d'amour !

— Et l'odeur épouvantable, tu l'expliques comment ?

— Je n'ai rien senti du tout…

— Pourtant, ça empestait la charogne à plein nez ! On aurait dit qu'un cadavre rongé par les vers pourrissait à côté de nous.

— Oh, Luna, ça suffit ! la coupa Allanéa en grimaçant de dégoût. Allez, habillons-nous et filons rejoindre les autres, sinon ils vont se douter de quelque chose.

L'adolescente hocha la tête et attrapa son pantalon. Tout en enfilant ses vêtements, elle se demanda pourquoi elle avait été la seule à déceler l'odeur de la mort. Il lui semblait pourtant que son flair de louve s'était définitivement envolé. À moins, bien sûr, que ce ne soit à cause de son voyage à Outretombe ; le fait d'avoir côtoyé les morts l'avait peut-être rendue plus sensible à cette odeur que les autres elfes. Quoi qu'il en fût, Ysmalia ne l'attirait plus autant qu'hier soir. Malgré ce qu'elle avait dit à Hoël, elle avait toujours envie de découvrir cette terre, mais à présent elle se tiendrait sur ses gardes. Elle glissa son poignard à sa ceinture. Allanéa empoigna son arc et posa la main sur la poignée de la porte.

— On est bien d'accord, hein ? murmura-t-elle. Pas un mot de notre escapade nocturne ?

— Promis, chuchota Luna.

Sur le pont, tous leurs amis les attendaient en dévorant de bon appétit la collation que Sylmarils leur avait préparée. L'océanide s'était en effet levée aux aurores pour confectionner de petits biscuits avec la farine d'algue qui leur restait, ainsi que des galettes fourrées au thon qu'ils emporteraient dans leur sac. Elle avait également rempli plusieurs outres d'eau douce. L'expédition durerait probablement toute la journée et les aventuriers apprécieraient sans doute ces pertinentes initiatives.

Luna, qui n'avait pas trop faim, grignota un des petits gâteaux secs du bout des dents.

— Tu n'as pas l'air dans ton assiette, aujourd'hui, remarqua Elbion en s'installant près d'elle.

— J'ai mal dormi. Sans doute à cause de l'excitation…

— Dans ce cas, tu aurais dû être la première levée.

— Je me suis endormie juste avant l'aube, mentit Luna, agacée par son insistance.

Elle détourna la tête, mal à l'aise. Cela ne lui plaisait absolument pas de jouer la comédie ; ce n'était pas dans sa nature, plutôt franche et directe, de raconter des bobards. Mais elle avait promis à Allanéa de ne rien dire… Par ailleurs, elle commençait à avoir honte de son escapade ; hier, ça lui semblait une bonne idée, mais, aujourd'hui, il lui apparaissait claire-ment qu'elle aurait dû attendre comme tout le monde. Elle avait la désagréable impression d'avoir trahi ses amis.

— J'ai mis la chaloupe à l'eau, annonça joyeusement Darkhan. Qui descend en pre-mier ? Luna, je suppose ; tu avais tellement hâte hier soir ! Allez, ma belle, à toi l'honneur.

L'adolescente lui adressa un petit sourire forcé. Avec souplesse, elle enjamba le bastin-gage, descendit le long de l'échelle de corde et sauta dans la barque. Elle prit place à l'avant et regarda descendre Sylmarils, Kendhal et Darkhan, chargés de sacs de provisions. Quand son tour fut venu, Elbion bondit dans l'embarcation, la faisant violemment tanguer, mais les elfes qui s'y étaient préparés préférèrent en rire. Kern et Gabor, qui resteraient à bord, larguèrent les amarres.

— Bonne chance ! déclara l'un.

— Et soyez prudents, surtout ! renchérit l'autre.

— On vous attend pour le repas de ce soir. Je suis sûr que vous aurez plein de choses à nous raconter !

— Vous aussi ! leur lança Sylmarils.

Darkhan et Kendhal saisirent les avirons et se mirent à ramer avec énergie. Dans les airs, Thyl, Hoël et Allanéa les accompagnaient, ralentissant volontairement pour ne pas trop les devancer. Ils avaient convenu d'arriver tous ensemble sur la plage.

La mer d'un bleu presque turquoise était d'une limpidité étonnante. Le soleil chauffait déjà. La journée s'annonçait idéale pour partir à l'aventure.

— Alors, Luna, tu es heureuse ? demanda Kendhal. Depuis le temps que tu attendais ce moment !

— Oui, bien sûr, dit-elle en se forçant à sourire pour cacher son trouble.

— Moi aussi, j'en ai rêvé toute la nuit !

s'exclama Sylmarils en riant. J'ai hâte de découvrir cet endroit. Quoique, vu la transparence de l'eau, je serais bien restée avec mes cousins pour visiter les fonds marins.

Elle plongea sa main dans l'eau, les yeux brillants d'envie.

— Oh, elle est bonne !

Darkhan lui renvoya son sourire.

— Tu sais, nous allons mouiller là plusieurs jours. Si jamais tu as envie d'explorer la crique avec tes cousins, tu n'auras qu'à rester avec eux.

— C'est vrai, ça ! Et puis, si on trouve un endroit sympa, on pourrait y installer une colonie sous-marine. Comme ça, on resterait en contact avec vous.

Thyl lui décocha un sourire éclatant.

— Mais j'y compte bien ! Il est hors de question que je te laisse repartir, maintenant qu'on a trouvé ce petit coin de paradis.

Agacée par ces minauderies, Luna leva les yeux au ciel en signe d'impatience.

— Que se passe-t-il, Luna ? s'enquit Darkhan. Je te trouve bien silencieuse !

— Pas du tout ! Je suis juste fatiguée.

— Et de mauvaise humeur, ajouta Elbion.

Même si elle fut la seule à comprendre le sens de la remarque du loup, son aboiement moqueur fit sourire les autres, ce qui énerva encore un peu plus l'adolescente. Elle demeura toutefois impassible, les yeux rivés sur la côte. Elle fixait la forêt, se demandant quels pièges les y attendaient. L'endroit semblait trop parfait, trop paisible pour ne dissimuler aucun danger. L'insouciance de ses compagnons l'irritait. Était-elle la seule à se méfier, la seule à sentir que quelque chose clochait? Elle ne pouvait chasser de son esprit qu'elle avait été également la seule à sentir la mort rôder. Elle se promit de redoubler de vigilance pour anticiper toute attaque éventuelle.

Alors que l'embarcation n'était plus qu'à quelques mètres de la plage, Luna avisa soudain ses traces de pas sur le sable et se pétrifia. Son cœur se mit à tambouriner tellement fort qu'elle crut que tout le monde allait l'entendre. Qu'elle avait été sotte! Dans sa précipitation à quitter la forêt la nuit dernière, elle n'avait pas pensé à effacer les traces que sa course folle avait imprimées dans le sable. Le rouge lui monta aux joues, mais, comme elle tournait le dos à ses compagnons, personne ne nota son émoi.

«Comment faire? se morfondit-elle. Comment faire? Dès qu'ils vont voir mes traces de pieds, ils vont comprendre. Je vais passer pour une menteuse, pour une gamine capricieuse qui veut tout avant tout le monde. Quelle honte! »

Mais il était trop tard. Le fond de la barque s'écrasait déjà contre le sable meuble du rivage. Darkhan et Sylmarils sautèrent dans l'eau pour la tirer sur la plage, vite rejoints par les trois avariels.

Le regard terrifié de Luna croisa alors celui d'Allanéa. L'avarielle se figea, comprenant aussitôt leur erreur.

— Eh, regardez-moi ça! s'exclama Kendhal, en sautant de la barque.

— Des traces de pas! s'étonna Darkhan. Et il y en a partout autour de nous.

— Quelqu'un est venu là cette nuit, devina Sylmarils.

Luna serra les dents, s'attendant à entendre l'accusation fuser. Mais Sylmarils continua:

— Qui que ce soit, il a dû apercevoir notre bateau.

— Certainement, admit Hoël. Mais regardez, c'est étrange. Les traces se coupent et se recoupent dans tous les sens, sans aucune logique apparente, comme si notre mystérieux visiteur était complètement fou.

— Fou de peur? avança Darkhan.

— Il voulait peut-être nager jusqu'à nous, mais il devait craindre l'eau, parce que ses traces ne s'approchent pas de la mer, nota Sylmarils. C'est bizarre, non ?

Thyl qui s'était avancé vers les arbres revint auprès de ses amis.

— Je ne sais pas d'où il est venu, mais je peux vous dire qu'il a filé vers la forêt. Ses traces se dirigent vers ces fourrés, là-bas.

— Comment pouvez-vous être sûrs qu'ils n'étaient pas plusieurs ? fit Kendhal.

Thyl les invita alors à se rapprocher de la lisière de la forêt.

— Regardez, on voit nettement deux pieds. De petite taille, d'ailleurs.

— C'était peut-être un enfant ?

— Ou un nain ?

Chacun y allait de son hypothèse et Luna ne savait plus où se mettre. Elle évitait maintenant de croiser le regard de sa complice de peur de se trahir. Mais, ce qu'elle craignait plus que tout, c'était qu'Elbion renifle les traces et décèle son odeur. Il fallait à tout prix qu'elle mette un terme à ces investigations.

— Que diriez-vous d'entrer à notre tour dans la forêt ? proposa-t-elle en prenant la tête du convoi. Il est temps d'explorer cette nouvelle terre, ne croyez-vous pas ?

— Ah, en voilà, une bonne idée ! s'écria Kendhal en la rejoignant.

— Prudence, tout de même, les modéra

Darkhan en posant la main sur la poignée de son cimeterre. Restons sur nos gardes. On ne sait absolument rien de cet endroit et de ses habitants. Ce petit être était peut-être un espion et, si ça se trouve, à l'heure qu'il est, toute sa tribu est sur le pied de guerre.

Luna se mordit la lèvre pour ne pas sourire. Le point positif, c'était qu'à présent ses compagnons étaient aussi méfiants qu'elle, même si ce n'était pas pour les mêmes raisons.

Les palmiers et cocotiers qui poussaient en lisière de la forêt firent bientôt place à une végétation beaucoup plus dense et sauvage. Partout, des arbres immenses et touffus aux racines tortueuses gênaient leur progression. La petite troupe s'efforçait de s'enfoncer en ligne droite dans ce dédale végétal, mais elle fut plusieurs fois contrainte de contourner des buissons d'épineux ou des arbres trop volumineux. Parfois, des enchevêtrements de lianes ou de racines les obligeaient même à faire demi-tour pour trouver un autre chemin. Patiemment, sans se démotiver ni se décourager, les aventuriers exploraient cette terre promise, s'émerveillant de sa richesse et de sa variété. La plupart des plantes qui poussaient là leur étaient inconnues. Les arbustes se paraient tantôt de feuilles orangées en forme de cœur, tantôt de magnifiques corolles bleutées et odorantes. Des fougères hautes de plusieurs mètres laissaient pendre au-dessus de leur tête des grappes épanouies de fruits rose fuchsia qui contrastaient avec les colonies de fleurs d'un jaune vif qui couraient en lianes sur le sol.

Luna, dont le malaise s'était totalement dissipé, affichait un franc sourire. La forêt lui apparaissait beaucoup plus accueillante que la nuit précédente. Aucun chant ni aucune odeur suspecte ne venaient ternir ses impressions positives. Cette promenade matinale la ravissait. Elle se demanda soudain si cette forêt possédait également un esprit protecteur comme celles de Wiêryn ou de Ravenstein. Si oui, cette entité les accepterait-elle dans son domaine, ou les considérerait-elle au contraire comme des intrus ?

Elbion qui trottinait à ses côtés interrompit tout à coup le cours de ses pensées.

— Tu crois qu'on va trouver Viurna ?

Luna le regarda, déroutée.

— Quelle drôle de question ! s'exclama-t-elle avant de se rattraper. Enfin, venant de ta part, je veux dire. Je ne pensais pas que le fait de retrouver Viurna pouvait t'intéresser.

— C'est juste que... je... j'aimerais bien la rencontrer, faire sa connaissance, voir comment elle est et si elle ressemble à son frère. Ce genre de choses, quoi !

— Moi aussi. Mais ce ne sera pas facile. Ysmalia est immense. Toutefois, si nous décidons de nous installer ici, nous aurons tout le temps de partir à sa recherche.

Elbion acquiesça en silence. Le problème, c'était qu'il n'avait pas tout son temps, lui. Mais comment le dire à Luna sans éveiller ses soupçons ?

Bientôt, le sol se fit plus accidenté et une pente boisée se dressa devant eux.

— On grimpe ? demanda Luna en s'élançant déjà à l'assaut de la colline.

— Pourquoi pas ? fit Darkhan. De là-haut, on pourrait avoir un point de vue intéressant. On apercevra peut-être un village.

— Et si nous partions en éclaireurs ! proposa immédiatement Thyl en déployant ses ailes. Nous allons survoler cette colline pour voir ce qu'il y a de l'autre côté. Attendez-nous ici, ça vous évitera des efforts inutiles.

L'idée fut acceptée à l'unanimité. Thyl, Hoël et Allanéa s'envolèrent sans attendre.

— Nous, nous pourrions en profiter pour chasser, proposa Kendhal en montrant son arc.

— Hum, nous n'avons pas croisé beaucoup d'animaux, se rembrunit Darkhan.

— Ils doivent se cacher, fit Luna en haussant

les épaules. Dites, j'irais bien voir un peu plus loin ; je crois entendre une chute d'eau par là-bas. Quelqu'un m'accompagne ?

Kendhal et Elbion se portèrent immédiatement volontaires.

— Ne vous éloignez pas trop ! leur conseilla tout de même Darkhan en s'asseyant pour discuter avec Sylmarils.

Les trois amis entreprirent de longer la colline sur une centaine de mètres, guidés par les murmures de l'eau. Ils découvrirent bientôt, ébahis, un vaste étang d'un bleu limpide dans lequel se jetait un petit cours d'eau. La cascade créait un halo de gouttelettes irisées qui scintillaient au soleil.

— Que c'est beau ! s'exclama Luna, séduite.

— On dirait le lac de Laltharils, enchaîna Kendhal. En plus petit, bien sûr !

Luna fit quelques pas vers la rive bordée de bouquets d'iris violets.

— C'est l'endroit idéal pour s'installer. Regarde, on pourrait déboiser cette zone pour agrandir la prairie. Ça dégagerait un espace pour construire le village. Et là, sur la colline d'en face, on bâtirait le palais qui dominerait l'ensemble. Ensuite, on défricherait la forêt pour tracer une route qui rejoindrait la plage. Dans la crique, on établirait un port et on organiserait des marchés où les océanides pourraient vendre le produit de leur pêche. Ce serait formidable! Hein, Kendhal? Qu'en penses-tu?

Comme le jeune homme tardait à répondre, Luna réitéra sa question.

— Ce que j'en pense? fit-il, la mine sombre. Eh bien, j'en pense que tu n'es pas la seule à avoir eu cette idée. D'autres l'ont eue bien avant toi!

Luna se figea. Déroutée, elle tourna la tête en tous sens à la recherche de vestiges ou de ruines qu'elle n'aurait pas remarqués. Mais aucune construction n'attira son attention.

— Mais eux ne se sont pas contentés d'un simple palais, poursuivit Kendhal en désignant le sommet de la falaise derrière eux. C'est une véritable citadelle, qu'ils ont édifiée!

L'adolescente leva les yeux dans la direction indiquée. Ils se heurtèrent aux murailles épaisses d'une antique forteresse. À moitié dissimulés par le lierre et la glycine, les remparts encore vaillants surplombaient fièrement l'étang de toute leur superbe. Mais, à droite, une tour d'angle à moitié écroulée laissait deviner l'âge vénérable de l'édifice.

— Viens! fit Kendhal en lui attrapant la main. Allons prévenir Darkhan et Sylmarils.

# 6

Après le long supplice infligé à Bromyr en l'honneur de leur déesse, les drows revigorés par le sang versé avaient repris leur route vers le nord. Les griffons de l'ombre et les pégases noirs n'avaient pas faibli; ils avaient donné jusqu'à leurs dernières forces pour mener leurs cavaliers impatients jusqu'à Rhasgarrok. Après un repos bien mérité, les premiers s'envoleraient vers les montagnes Rousses pour retrouver leur liberté, tandis que les seconds regagneraient docilement leur parc situé plus au nord, dans les bois de Brumes.

Les elfes noirs étaient enfin de retour chez eux. Entassés devant les larges portes de leur cité souterraine, ils attendaient avec impatience que leur matriarche prononce la formule qui les descellerait. L'émotion était palpable, l'excitation, visible. Pourtant une surprise de taille les attendait. Et pas des meilleures.

Lorsque les lourds vantaux s'ouvrirent, une odeur épouvantable de décomposition assaillit les drows, qui suffoquèrent de dégoût. Même matrone Sylnor recula, écœurée par la pestilence morbide qui s'échappait de la cité. Aussitôt, une vague d'inquiétude submergea son esprit. D'où venaient ces effluves insoutenables ? Que s'était-il passé là pour que ça empeste à ce point ?

Désireuse de montrer l'exemple et de résoudre au plus vite ce mystère, la matriarche s'engagea dans le large couloir qui menait aux quartiers supérieurs de la capitale. Son armée lui emboîta le pas sans hésiter. Le spectacle qui les accueillit les laissa sans voix.

Les maisons, boutiques et autres auberges de ce niveau avaient toutes été saccagées, détruites, pillées ou même incendiées. Il n'en restait que des ruines.

Hébétée par l'ampleur de la catastrophe, Sylnor sentit son visage se vider de son sang. Livide, elle déambula quelque temps tel un automate dans les rues dévastées. Lorsqu'elle découvrit les premiers cadavres de drows empalés sauvagement au bout de piques comme de sanglants trophées, une rage sourde s'empara de son être. On avait profité de son absence pour attaquer Rhasgarrok!

Les prunelles allumées par la fureur, elle exhorta ses troupes à fouiller tout le niveau supérieur à la recherche d'éventuels intrus.

— Quelqu'un a profané notre cité et massacré les nôtres! cria-t-elle en amplifiant sa voix par magie. Cet affront est intolérable! Nous allons reprendre Rhasgarrok et massacrer tous ceux qui s'opposeront à nous.

Une clameur de joie féroce monta de l'immense armée. Cimeterres et sabres en main, les guerriers se répartirent dans les ruelles tortueuses de la ville haute, animés par un même désir de vengeance.

Restée seule sur la place centrale d'habitude grouillante de vie, Sylnor eut un moment de stupeur. Comment une telle catastrophe avait-elle pu se produire? Les portes de sa cité étaient hermétiquement fermées et les enchantements qui la scellaient n'avaient pas été désamorcés. Elle l'aurait immédiatement su. Qui avait bien pu massacrer les drows restés en ville? Une folle angoisse la fit tressaillir. D'autres drows? Est-ce qu'une nouvelle guerre civile s'était déclenchée pendant son absence, poussant ses sujets à s'entretuer comme lorsque les adorateurs du scorpion s'étaient dressés contre Lloth?

Elle en était là de ses réflexions quand Ylaïs s'approcha d'elle.

— Votre Grandeur, vous devriez venir voir quelque chose.

— Je te suis, déclara-t-elle en cachant tant bien que mal son désarroi.

La première prêtresse enjamba les décombres calcinés d'une masure pour arriver près d'un des cadavres empalés. Ses chairs racornies laissaient apercevoir d'immondes blessures. Des lacérations entaillaient profondément chacun des membres du malheureux et mettaient ses os à nu, eux-mêmes en fort mauvais état. Sur son visage émacié, mais intact, se lisait toute la souffrance qu'il avait endurée avant de mourir.

— Ben quoi? demanda Sylnor en reniflant avec dédain. Ce n'est qu'un cadavre!

— Oui, mais examinez bien ses plaies.

La matriarche obéit et inspecta les blessures d'un œil expert.

— Celui qui lui a fait subir ça voulait le faire souffrir, assurément, déclara-t-elle après quelques secondes. Je crains qu'il ne s'agisse pas d'un simple règlement de compte entre maisons ennemies.

— Je suis d'accord avec vous, d'autant plus que les drows ne tuent pas ainsi.

Intriguée, Sylnor tourna aussitôt la tête dans la direction de la prêtresse.

— Que veux-tu dire ?

— Ces gens n'ont pas été attaqués par nos semblables, mais par un envahisseur extérieur.

Sylnor soupira de soulagement. Elle préférait de loin avoir à affronter un ennemi qui ne soit pas de sa race. Les drows devaient rester soudés. La force de leur nombre était importante et il ne fallait surtout pas qu'ils s'exterminent dans des guerres intestines funestes. Une guerre civile ne pouvait qu'affaiblir leurs rangs ! Pourtant, un détail ne collait pas avec la remarque d'Ylaïs.

— Impossible ! rétorqua sèchement la matriarche. La ville était parfaitement close. Personne n'a pu y entrer pendant notre absence !

— Hum, à votre place je n'en serais pas aussi sûre… fit Ylaïs en désignant un os particulièrement endommagé. Regardez ces marques. On distingue très nettement des traces de griffes et là, ces striures plus fines, vous savez ce que c'est ?

Comme Sylnor secouait la tête négativement, la prêtresse poursuivit :

— Des marques de dents !

La jeune matriarche s'arrêta de respirer, saisie d'effroi. Quelle race immonde pouvait s'adonner au cannibalisme ? Soudain, elle comprit.

— Tu penses que ces massacres sont l'œuvre

d'urbams? questionna-t-elle, stupéfaite. Je croyais pourtant qu'on les avait tous enrôlés! Comment se fait-il qu'ils aient pu…

— Les urbams sont anthropophages, c'est vrai, mais ils ne possèdent pas de griffes. Par ailleurs, ils arrachent les membres, dévorent les entrailles et même les yeux, ce qui n'est pas le cas ici. Enfin, jamais ils n'empalent les reliefs de leur repas.

Matrone Sylnor acquiesça avec gravité. Une petite voix dans sa tête lui disait qu'elle n'allait pas du tout aimer la conclusion d'Ylaïs.

— Une invasion a effectivement eu lieu en notre absence, maîtresse, mais pas par le haut comme on le craignait.

— Tu veux dire que l'ennemi est venu des bas-fonds de notre cité? Mais comment?

— Il existe tellement de galeries oubliées qui conduisent on ne sait où! Qui sait quelles créatures monstrueuses se terrent dans cet inextricable réseau souterrain? Sans vouloir vous effrayer, si ces choses ont pu monter jusqu'ici, imaginez un peu le carnage qu'elles ont dû faire dans les niveaux inférieurs. Je crains le pire, Votre Grandeur.

Au bord du malaise, Sylnor se passa une main fébrile sur le visage. Finalement, elle aurait cent fois préféré qu'il s'agît d'une guerre civile. Là, au moins, elle aurait su qui affronter.

— Réunissons les troupes et descendons voir plus bas, ordonna-t-elle en tâchant de se donner une assurance qu'elle était loin d'éprouver. Avec un peu de chance, nous trouverons des survivants.

# 7

Forts de leur surprenante découverte, Kendhal, Luna et Elbion rebroussèrent chemin pour revenir à l'endroit où les attendaient Darkhan et Sylmarils. Ils furent surpris de les trouver en pleine discussion avec les trois avariels partis en éclaireurs.

— Ah, vous tombez à pic! s'écria Thyl en les voyant arriver. Figurez-vous que nous avons découvert quelque chose d'incroyable. Vous ne devinerez jamais quoi!

— Heu, laisse-moi essayer quand même, fit Luna en faisant mine de réfléchir. Je parie que vous avez trouvé, hum... une ancienne citadelle?

L'empereur des avariels plissa le front, estomaqué.

— Mais... comment?

Comme elle éclatait de rire, Kendhal jugea opportun d'apporter quelques précisions :

— Il y a un petit lac à deux pas d'ici. De la berge, on aperçoit les murailles de cette forteresse. Vu l'état de délabrement d'une des tours d'angles, elle semble très vieille.

— En effet, confirma Allanéa, tout excitée par leur trouvaille. Il s'agit plus d'une ruine que d'une fringante citadelle, mais, au temps de sa splendeur, elle devait être magnifique.

— En fait, les remparts sont en bon état, ajouta Hoël. Ils encerclent le village et au centre se trouve le château avec son donjon passablement abîmé.

— Semble-t-il habité ? s'enquit Kendhal. Parce que les traces de pas que nous avons découvertes sur la plage appartenaient peut-être à ses habitants…

— J'en doute, répondit Thyl. Nous n'avons vu personne et, à mon avis, cela fait des siècles que cet endroit est abandonné.

— Qu'attendons-nous pour aller le visiter ! s'écria Luna avec entrain.

— Je te préviens, nous n'avons vu aucun sentier et ça grimpe dur ! s'exclama Thyl en lui faisant un clin d'œil.

— Cornedrouille ! Ce ne sont pas quelques mètres de dénivelé qui vont venir à bout de ma curiosité, crois-moi !

— D'accord, mais on mange avant! lança Darkhan en attrapant un des sacs posés par terre. Je suis affamé. Pas vous?

La pause fut salutaire pour tout le monde. Chacun dévora ses friands au thon de bon appétit, même Elbion, qui n'avait débusqué aucun petit gibier en route. Tout en mangeant, les avariels leur décrivirent avec force détails la mystérieuse forteresse, perdue au milieu de la jungle.

— C'est étrange qu'on ne l'aperçoive pas de la côte, fit justement remarquer Luna.

— C'est normal, expliqua Allanéa, la végétation a presque tout recouvert, les murailles, les toits, les porches… Tout est envahi par le lierre. En fait, la citadelle se confond avec la forêt.

— Et puis le donjon et les tours se sont écroulés, précisa Hoël, si bien qu'il est impossible de la voir de loin.

— Tu crois que de telles constructions s'écroulent toutes seules? s'étonna Darkhan. Moi, je dirais plutôt qu'il y a eu une guerre par ici. Les ennemis du seigneur de la forteresse ont eu le dessus et ils ont tout détruit pour montrer leur supériorité.

Un silence lourd suivit cette constatation. Tous repensaient à la destruction de Laltharils, leur merveilleuse cité séculaire aujourd'hui en ruines. Depuis leur exil dans la forteresse de Naak'Mur, c'était devenu un sujet tabou et personne n'osait plus l'aborder. Cette fois non plus, personne ne fit allusion à leur ville perdue. Seule Luna posa la question qui l'angoissait :

— Vous croyez qu'il y a des drows ici ?

Tous se dévisagèrent avant de répondre.

— Non, je ne pense pas, finit par dire Darkhan.

— Moi non plus, ajouta Thyl. Cette citadelle n'a rien d'elfique. Ce sont des humains qui l'ont bâtie, ça se voit. Les techniques d'arc-boutant sont grossières et les pierres ne sont pas sculptées avec soin. Certes, cet endroit n'est plus qu'une ruine, mais il est évident qu'il n'a jamais possédé ni la grâce ni la finesse de… de nos magnifiques cités.

Ce fut à ce moment-là que Luna se leva d'un bond.

— Bon, suffisamment palabré ! Il me tarde de voir cette citadelle de plus près.

Tous ses amis approuvèrent. Après avoir nettoyé les reliefs du repas et rangé les gourdes dans les sacs, chacun se prépara à escalader le mamelon rocheux où se perchait la forteresse. Les avariels n'ayant pas décelé de chemin, ils choisirent de grimper en ligne droite. Ils espéraient juste ne pas rencontrer un pan de falaise impossible à franchir qui les obligerait à contourner la colline, ou pire, à rebrousser chemin.

Au début, l'ascension ne posa pas de problème majeur. Les fougères rases et les rochers apparents se laissèrent fouler sans difficulté. Mais, petit à petit, la pente se fit plus raide, les pierres, plus glissantes. Heureusement la colline était recouverte d'arbres et ils purent s'accrocher aux lianes, aux racines ou aux branches basses pour se hisser chaque fois plus haut. Parfois, un taillis trop dense pour être traversé les obligeait à faire un léger détour. Mais les avariels prenaient aussitôt de la hauteur pour les guider le mieux possible à travers ce dédale de végétation. Ils repéraient les zones plus dégagées et donc plus faciles à escalader.

— Allez, encore quelques mètres, les encouragea Thyl, après une demi-heure de montée. Vous y êtes presque.

En effet, leurs efforts furent bientôt récompensés. Après un dernier passage délicat, les elfes parvinrent enfin au pied de la muraille. Celle-ci mesurait bien six ou sept mètres de hauteur, mais les arbres environnants la dépassaient et la masquaient aux regards, ce qui expliquait pourquoi la forteresse n'était pas visible depuis le bateau.

— La barbacane se trouve par là, fit Allanéa

en indiquant le côté gauche des remparts. Comme les portes ont été arrachées, vous pourrez entrer facilement.

La troupe suivit à la file indienne, car l'étroit sentier qui serpentait au pied des murailles ne laissait pas suffisamment d'espace pour permettre d'avancer à plusieurs de front. Luna qui marchait derrière Kendhal ne pouvait s'empêcher de jeter des coups d'œil émerveillés vers le rempart. Elle mourait d'envie de découvrir ce qui se cachait derrière et jalousait secrètement ses amis avariels qui avaient eu la primeur de la découverte.

— Alors, Elbion, content d'être là? demanda-t-elle soudain à son loup qui trottinait derrière elle.

— Je ne sais pas. Cet endroit ne m'inspire pas.

— Comment ça? s'étonna-t-elle en se retournant. C'est parce qu'il n'est pas en bon état?

— Non, ça n'a rien à voir. C'est comme si... je percevais des vibrations, des ondes qui m'arrivent par à-coups. C'est très étrange. Je n'ai jamais rien ressenti de tel auparavant.

Luna fronça les sourcils, vaguement inquiète. Elle ne sentait rien de semblable, mais elle savait d'expérience qu'on pouvait se fier à l'instinct de son frère. Si Elbion détectait un phénomène bizarre, c'était qu'il se passait effectivement quelque chose d'anormal. Le tout était de savoir quoi. Elle se promit de rester sur ses gardes.

Une tour d'angle à moitié écroulée marqua la fin de leur cheminement le long des remparts. Ils la contournèrent en escaladant les décombres amoncelés au pied de l'édifice en ruines et parvinrent en face de la barbacane. Ce bastion fortifié de taille imposante autrefois destiné à protéger l'entrée de la citadelle n'offrait plus aucun caractère défensif. Les portes massives, sans doute munies de herses métalliques, avaient purement et simplement disparu. Seuls les solides piliers tenaient encore debout, comme les pylônes d'un ancien temple oublié.

Muets d'admiration ou de crainte, les elfes retenaient leur souffle. Darkhan, la main sur le pommeau de son cimeterre, fut le premier à franchir le portail. À l'intérieur de la première cour se trouvaient quelques bâtiments abandonnés, sans doute des écuries et des salles de garde. Nul bruit ne leur parvenait. Ni vent ni gazouillis d'oiseaux. Même leurs propres pas semblaient étouffés par la hauteur des murs. Bientôt ils aperçurent la deuxième porte, celle de la citadelle proprement dite, mais elle était obstruée par des tonnes de gravats qui avaient été entassés là afin de boucher complètement le passage.

— Jamais nous ne pourrons déblayer toute cette caillasse. Cela nous prendrait un temps fou!

— Nous allons vous porter, proposa Thyl.

Un à un, les elfes franchirent la porte principale par les airs. Même Elbion se laissa docilement soulever par l'empereur des avariels et son ami Hoël.

Le spectacle qui les attendait de l'autre côté les laissa sans voix. Ils se trouvaient dans une véritable rue bordée d'échoppes et de maisons, qui serpentait jusqu'à une place où se dressait une fontaine. Mais, mis à part le lierre et les lianes qui couraient sur les murs et les tuiles, toute vie avait déserté cet endroit depuis longtemps. Les portes éventrées pendaient lamentablement sur leurs gonds rouillés, les pancartes jadis peintes aux couleurs des artisans étaient rongées par la moisissure et les termites, et des vitraux qui ornaient les fenêtres, il ne restait plus que des éclats de verre menaçants.

— Bouh, que c'est lugubre, fit Luna d'une petite voix.

— Oui, alors que ça devait être tellement joli avant, ajouta Sylmarils, une pointe de regret dans la voix.

— Avant quoi? compléta Kendhal en s'avançant dans la ruelle. Au début, nous avons cru qu'une guerre avait ravagé cette forteresse, mais regardez, les maisons sont encore intactes, les toitures ne sont même pas défoncées. Elles n'ont pas été détruites ni brûlées, comme c'est souvent le cas lors des sièges ou des mises à sac.

— C'est vrai que seuls les tours et le donjon ont été touchés, constata Hoël en se grattant le menton, perplexe.

— Comme si on avait fait exprès… remarqua Sylmarils.

— Pour quelle raison? s'étonna Thyl.

Luna tapa son poing contre la paume de sa main.

— Mais pour ne pas qu'on la découvre, bien sûr! Tu as toi-même dit que, si on ne devinait pas la présence de cette citadelle perdue en pleine forêt, c'était parce que les arbres la cachaient. Détruire tout ce qui dépassait les frondaisons était le meilleur moyen de la rendre invisible.

— Mais pourquoi faire une telle chose? demanda Allanéa.

Comme Luna faisait signe qu'elle n'en savait rien, Kendhal les interpella.

— Eh, venez voir un peu par là!

Il fit pivoter une porte en bois vermoulu qui

émit un grincement désagréable. Un signe y avait été peint en noir.

— C'est quoi? demanda Luna.

— On dirait les marques que les humains peignent sur les maisons lorsque des épidémies se déclarent dans leurs villes, expliqua-t-il. Les humains utilisent ce moyen pour éviter que la contamination se propage. Les gens touchés restent chez eux en quarantaine en attendant que leur traitement fasse effet. J'ai déjà vu ce genre de signe lors de notre séjour à Anse-Grave.

Un frisson glacé parcourut l'échine de Luna.

— Tu veux dire que cet endroit a été frappé par une maladie contagieuse?

Comme Kendhal hochait gravement la tête, Thyl ajouta:

— Et, apparemment, le mal a anéanti toute la population. Regardez, ce signe est partout.

La remarque finit de les mettre mal à l'aise. L'idée de se promener dans une forteresse fantôme dont la population avait été jadis ravagée par une épidémie mortelle ne rassurait personne. Et tous comprenaient maintenant pourquoi l'entrée avait été complètement obstruée.

— Eh, ne faites pas cette tête-là! fit Darkhan en souriant. Cela fait des siècles que cet endroit a été abandonné. Nous ne courons plus aucun risque. Venez, allons voir un peu à quoi ressemble le château.

Tous lui emboîtèrent le pas, mais aucun ne répondit à son sourire. Discrètement, Luna se rapprocha de son frère de lait.

— Tu perçois toujours des ondes étranges? souffla-t-elle à voix basse pour ne pas inquiéter ses compagnons.

Comme Elbion hochait la tête, elle ajouta :

— Tu crois que c'est lié à cette histoire d'épidémie?

— Non, c'est autre chose. Mais je n'arrive pas à déterminer de quoi il s'agit.

— Sommes-nous en danger?

— Je ne sais pas. Mais je veille, n'aie crainte.

Une fois parvenue à la fontaine, Luna sentit son cœur se serrer. La place avait dû être un havre de paix au temps de l'apogée de la forteresse. L'atelier du forgeron où traînaient encore marteaux et pinces couverts de toiles d'araignées faisait face au moulin dont les ailes avaient été arrachées. Un imposant bâtiment à colombages, sans doute une auberge, tournait sa façade vers le château. Il aurait pu être beau si ses nombreuses fenêtres n'avaient été complètement détruites, ouvrant les pièces aux quatre vents. Luna imagina l'endroit un jour de marché animé et bruyant. Elle se demanda si, malgré les mauvaises vibrations que ressentait Elbion et cette histoire de maladie contagieuse, il serait possible de restaurer ce village pour lui redonner une seconde vie. Après tout, l'endroit était suffisamment grand pour accueillir toute leur communauté. Elle jugea toutefois prématuré de partager cette idée avec ses amis.

— Luna, tu viens? fit Kendhal depuis l'entrée du logis seigneurial.

L'adolescente s'arracha à ses pensées et accourut, suivie d'Elbion.

Si les vantaux de la porte principale avaient été arrachés de leurs gonds, le hall avait toutefois conservé quelques traces de sa magnificence passée, notamment au niveau des voûtes et des colonnades. Il menait à une immense cour intérieure au centre de laquelle se trouvait un puits. En face, une tour hexagonale abritait un escalier hélicoïdal qui menait aux étages. Sur la droite, il y avait les cuisines avec leur immense four à pain et leurs citernes vides. Sur la gauche se trouvait une grande pièce, probablement la salle d'armes. Le mobilier réduit à une table massive et à deux larges buffets était fort délabré et recouvert de poussière. L'endroit donnait la chair de poule et pourtant il aurait suffi d'un bon coup de balai, de quelques tableaux et d'une ou deux tapisseries pour lui redonner un peu de chaleur et de vie.

— On va visiter les étages? s'impatienta Luna.

Tous acquiescèrent et lui emboîtèrent le pas. Là-haut, d'étroits couloirs menaient à des enfilades de pièces desservies par des coursives extérieures qui surplombaient le patio. Les chambres sentaient l'humidité et la moisissure, mais elles avaient certainement été agréables autrefois. Luna admira les boiseries pourtant abîmées, promena sa main sur une console au miroir miraculeusement intact et s'extasia devant un magnifique poêle en faïence. Malgré sa décrépitude, le château lui plaisait et elle se voyait bien le restaurer pour pouvoir y habiter avec les siens. Guidée par son insatiable curiosité, Luna accéléra le pas et n'attendit pas ses compagnons pour entrer dans une vaste chambre lambrissée du deuxième étage, Elbion sur ses talons.

«Oh! Celle-là, ce sera la mienne!» songea-t-elle immédiatement.

Deux fenêtres orientées plein sud déversaient un flot de lumière sur le lit à baldaquin. Les rideaux étaient mités, le parquet, gondolé et les murs, couverts de taches d'humidité, mais Luna imaginait déjà quels aménagements elle pourrait y faire. Elbion n'était pas dupe.

— Cet endroit te plaît, hein?

— Ça se voit tant que ça?

— Je le lis sur ton visage. Tu es rayonnante.

Luna s'accroupit pour se mettre au niveau du loup et lui enserra le cou.

— Ce serait tellement merveilleux si nous pouvions tous venir vivre ici! Mais j'imagine déjà Darkhan en train de dire que je m'emballe, et puis… il y a tes impressions négatives. Sens-tu encore ces vibrations? Sont-elles plus fortes, maintenant que nous sommes à l'intérieur?

— Étrangement, depuis que nous sommes entrés dans le château, je ne perçois plus rien.

Elbion avait à peine prononcé ces paroles que la porte claqua violemment dans leur dos. Les volets intérieurs se fermèrent d'un coup, plongeant la chambre dans l'obscurité. Elbion gronda et se colla à sa sœur pour la protéger. Un courant d'air froid se glissa dans la pièce tel un serpent traînant derrière lui une odeur nauséabonde fort déplaisante.

— Quittez tout de suite cet endroit! s'écria soudain une voix lugubre surgie de nulle part. Partez d'ici! Fuyez, mortels! Ce château est maudit! Maudit!

# 8

Recroquevillée contre Elbion, Luna fronça les sourcils, déroutée. Elle avait reconnu la voix qui leur avait ordonné de quitter les lieux, cette voix éthérée, presque immatérielle, mais froide à vous donner la chair de poule. Même si elle ignorait le nom de la personne à qui elle appartenait, elle savait d'expérience qu'il s'agissait d'un fantôme. Or, ce n'était pas quelques revenants qui allaient l'effrayer ! Elle en avait maté de plus coriaces lors de son séjour à Outretombe. Elle ignora les grondements de son frère et bondit sur ses pieds pour crier à la cantonade :

— Qui que vous soyez, vous ne me faites pas peur ! J'ai déjà affronté des morts pires que vous ! Allez, oust ! Retournez d'où vous venez !

Ce fut alors que l'impensable se produisit. Les volets se mirent à battre avec frénésie, le lit à grincer comme si des dizaines de gens sautaient dessus, le plancher à geindre et à trembler comme secoué de spasmes convulsifs. Terrifié, Elbion hurla à la mort. Mais Luna n'avait pas dit son dernier mot. Furieuse contre ces démons qui voulaient la chasser, elle banda son esprit et laissa la colère l'envahir. Un flux de sentiments puissants monta en elle ; il s'accumula et bouillonna dans sa tête, menaçant d'exploser. D'un coup, elle libéra la formidable énergie qui l'envahissait. Une onde de choc balaya la pièce, faisant subitement taire les volets, la porte, le lit et le sol. Un silence absolu retomba dans la chambre. Alors, le vacarme qui régnait dans le reste du château s'imposa à Luna.

Elle se précipita vers la porte qu'elle ouvrit en grand. L'attaque qu'elle venait de subir n'était pas un cas isolé. Tout le château était assailli par une horde de fantômes déchaînés. Les portes claquaient, des coups sourds faisaient trembler les murs, des tuiles tombaient des toits et s'écrasaient dans le patio en contrebas dans un épouvantable fracas. Luna resta figée dans la coursive, ne sachant comment réagir. À ses côtés, Elbion grondait. Ses oreilles baissées et ses yeux exorbités renforçaient son expression de terreur.

Soudain, un hurlement leur parvint,

immédiatement suivi du bruit métallique caractéristique d'épées qui s'entrechoquent. Ses amis se battaient. Mais ni leurs épées ni leurs arcs ne pourraient venir à bout des corps éthérés des esprits. Luna et son loup bondirent sans attendre vers l'étage inférieur.

Elle dévala les marches d'une traite et fonça vers une porte en bois clair. Derrière, un vacarme assourdissant mêlait cris d'effroi et crissements de métal. Parfois, des coups violents résonnaient contre les murs. Craignant qu'il n'arrive malheur à ses amis, Luna saisit la poignée et tira d'un coup sec. Mais le battant refusa de s'ouvrir. Elle essaya à nouveau et, prise de panique, tambourina contre le bois.

Sylmarils et Thyl apparurent soudain à l'angle du couloir et coururent vers eux. Leur visage était livide. Apparemment eux aussi avaient eu affaire aux fantômes, mais ils étaient parvenus à s'en débarrasser.

— Les autres sont coincés là-dedans, expliqua Luna. Aidez-moi à ouvrir cette porte! Si on s'y met tous, elle finira par céder.

— Je crois que j'ai mieux, proposa Sylmarils.

La jeune océanide se plaça devant la porte, mains tendues, et prononça quelques mots mystérieux. Ses paumes devinrent aussitôt écarlates et se mirent à rayonner d'une lumière vive qui envahit la poignée. Le métal dont elle était faite sembla fondre sous la chaleur et bientôt la serrure se liquéfia complètement et retomba en gouttelettes liquides sur le sol. Luna était abasourdie par le prodige que son amie venait d'accomplir, mais Thyl, qui connaissait le don de sa fiancée, ne perdit pas une seconde et donna un violent coup de pied dans la porte qui céda sous l'impact.

À l'intérieur, le spectacle qu'ils découvrirent les pétrifia de stupeur. C'était comme si une tempête était en train de mettre la salle à sac. Une chaise volait dans un tourbillon de tentures et de feuilles de papier, pendant que des tableaux dansaient follement dans les airs. Des ricanements sinistres fusaient de partout à la fois et, au sol, des débris de vases et des morceaux de bois semblaient lancés dans une gigue effrénée. Au milieu de ce chaos, Darkhan et Kendhal, toutes lames dehors, se battaient vainement contre les objets ensorcelés qui fonçaient sur eux, pendant que Hoël protégeait Allanéa, blottie sous ses ailes.

Luna se concentra à nouveau. Elle puisa dans ses dernières forces mentales pour faire monter et gonfler sa colère. Bientôt une puissance destructrice palpita en elle, trépignant d'impatience pour jaillir hors de son esprit. Mais Luna devait prendre garde de ne pas blesser ses amis. Elle scinda son flot d'énergie en deux et libéra l'onde de choc. Tels deux tentacules vengeurs, son pouvoir jaillit dans la salle et évita les quatre elfes médusés.

Comme si les entités qui les animaient avaient été soudain balayées par une tornade et chassées de la pièce, meubles, tapisseries et tableaux retombèrent lourdement sur le plancher et tout redevint silencieux.

— J'espère que vous avez compris la leçon ! clama Luna en pénétrant dans la pièce. Ne vous avisez pas de revenir ! Vos tentatives d'intimidation ne fonctionnent pas avec nous.

Kendhal, qui tenait toujours son sabre en l'air, la regarda avec perplexité.

— À qui parles-tu ?

— Aux fantômes qui occupent ce château. Apparemment, ils n'apprécient guère notre incursion chez eux. Mais, cornedrouille ! ce ne sont pas quelques revenants qui vont nous effrayer !

— Des fantômes ? répéta Allanéa en se relevant, fébrile.

Luna remarqua que son amie était pâle comme la mort. Comme tous les autres, d'ailleurs. Même la peau anthracite de Darkhan avait viré au gris crayeux.

— Allons, ne faites pas ces têtes-là ! s'exclama Luna en se forçant à sourire. Ces esprits ne sont pas de mauvais bougres; ils voulaient juste s'amuser un peu. La preuve, ils n'ont blessé personne. Cet endroit leur appartient et ils ont pris l'habitude d'effrayer les intrus qui s'aventurent ici. Voilà pourquoi tout est en si mauvais état. Je parierais même qu'ils sont à l'origine des tours écroulées et des gravats qui bouchent l'entrée. Ils ne veulent pas être dérangés et découragent les importuns comme ils peuvent.

— Eh bien, filons d'ici! s'exclama Allanéa en s'accrochant au bras de Hoël. Pas question de rester une seconde de plus dans ce maudit endroit!

Tous semblaient du même avis et refluaient déjà hors de la pièce, mais Luna leur bloqua le passage, consternée.

— Eh! Nous n'allons pas battre en retraite à la première intimidation! déclara-t-elle en croisant les bras. Lorsque j'étais à Outretombe, j'ai rencontré des esprits pires que ceux-là, je vous le jure. Ce qu'il faut, c'est leur faire comprendre que nous venons en amis, que ne voulons pas les déloger. Il doit être possible de trouver un terrain d'entente pour cohabiter de façon pacifique.

— Cohabiter? s'étonna Darkhan.

— Parce que tu comptes venir habiter ici? rétorqua l'avarielle, horrifiée.

Luna se mordit la lèvre, vexée de s'être trahie aussi vite. Il fallait qu'elle rattrape le coup.

— Heu… pourquoi pas? Évidemment, pour l'instant, l'accueil laisse quelque peu à désirer et la citadelle est en mauvais état, mais ne pourrions-nous pas imaginer de…

— Même pas en rêve! s'écria Allanéa. Pour rien au monde je ne voudrais vivre dans un tel endroit.

Luna se renfrogna, déçue par l'attitude de son amie. Mais Kendhal vint à son secours.

— Ne tirons pas de conclusions hâtives. Luna a raison. Ces fantômes sont chez eux, après tout, et c'est normal qu'ils cherchent à nous effrayer. Mais remarquez qu'ils ne nous ont pas fait de mal. Si on persiste, ils se révéleront peut-être amicaux.

— Amicaux? ironisa Hoël. Tu en as de bonnes, toi! Moi, je ne les trouve pas sympathiques du tout. Allez, fichons le camp d'ici!

— Mais on n'a pas encore tout vu, s'interposa Sylmarils. Depuis une des fenêtres à l'étage, j'ai aperçu d'autres bâtiments en contrebas ainsi qu'un jardin. Nous pourrions descendre voir.

Quand Darkhan prit la parole, Luna souffla de soulagement, persuadée qu'il allait se ranger de son côté, mais elle se trompait.

— Je suis d'accord avec Hoël et Allanéa. Nous ne sommes pas les bienvenus ici, cela ne fait aucun doute, et j'ai pour principe de ne pas déranger les morts. Laissons-les en paix et partons.

— Ah non, alors! s'indigna Luna. Nous ne sommes pas venus jusqu'à Ysmalia pour repartir aussi sec!

— Mais qui te parle de partir d'Ysmalia? la rabroua Darkhan. Ysmalia ne se résume pas à cette citadelle, que je sache! Nous sommes encore loin d'avoir visité toute la région. Pour le moment, il faudrait songer à rebrousser chemin avant que la nuit tombe, sinon Kern et Gabor vont s'inquiéter.

— Eh bien, rentrez tous les trois, puisque vous avez peur! rétorqua Kendhal. Luna, Sylmarils, Thyl et moi, on préfère rester.

Le visage de Darkhan se crispa de contra-riété.

— Je ne pars pas sans Luna. J'ai promis à Ambrethil de veiller sur elle.

— Ça suffit, Darkhan! s'énerva l'adolescente en serrant les poings. Combien de fois faudra-t-il que je te dise que je ne suis plus une enfant? J'en ai marre qu'on me dise toujours ce que je dois faire ou pas. Je te rappelle que personne n'a veillé sur moi lorsque je suis allée à Outretombe. C'était bourré d'esprits démoniaques, là-bas, et pourtant j'en suis revenue vivante. Arrête de vouloir toujours jouer les chaperons !

— Bien dit, Luna ! approuva Thyl avant de se tourner vers Darkhan. Dis donc, je te rappelle que, sans elle, nous serions toujours prisonniers des abysséens. Ta cousine a cent fois prouvé sa valeur. C'est une guerrière plus forte que toi et moi réunis. Elle n'a besoin de personne pour la protéger.

Luna se rengorgea en entendant ces compliments et quitta la pièce la tête haute en direction du grand escalier central. Tout le monde la suivit, sauf Darkhan, vexé, ainsi que les deux avariels.

De retour dans la cour intérieure, Luna et ses compagnons empruntèrent l'étroit couloir qui longeait les cuisines pour déboucher dans une vaste salle agrémentée de deux immenses cheminées à chaque extrémité. On aurait dit une sorte de grand réfectoire vide et poussiéreux. Trois portes se découpaient dans le mur d'en face. Ils prirent, un peu au hasard, celle du milieu. Ils découvrirent un escalier en colimaçon qui débouchait sur une vieille porte en bois. De l'autre côté les attendait le jardin du château. De grands arbres millénaires au tronc ridé et marqué proposaient une ombre salutaire à quiconque voulait se protéger des ardents rayons du soleil. Mais les allées bien dessinées et les parterres fleuris avaient depuis longtemps cédé la place aux herbes folles et aux ronciers géants. Des lianes épaisses comme des bras envahissaient la place. Elles étouffaient les statues de marbre qui ornaient jadis la fontaine et recouvraient les bancs de pierre sculptés.

— Avec un peu de bonne volonté et de magie, ce jardin pourrait redevenir le parc qu'il était autrefois, fit Luna, songeuse. Ici, on installerait une pergola sur laquelle on ferait courir de la glycine. Là-bas, on creuserait un bassin pour y mettre des nénuphars. Ce serait magnifique !

— Tu envisages sérieusement d'habiter là ? s'enquit Kendhal.

Luna hocha la tête.

— Je ne saurais pas t'expliquer pourquoi, mais cet endroit m'attire. C'est comme s'il nous attendait… depuis très longtemps. Il faut juste qu'on négocie avec les fantômes. Mais, ça, c'est mon domaine !

L'elfe doré lui renvoya son sourire. Séduit par son éternel optimisme et sa joie de vivre, il allait la prendre dans ses bras quand Thyl, sur le perron d'une des tours d'angles, les appela :

— Eh, les tourtereaux, Elbion a découvert un escalier qui s'enfonce sous la citadelle. On va y jeter un coup d'œil. Vous venez ?

Luna et Kendhal traversèrent le jardin au pas de course pour rejoindre la tour en mauvais état. Au moment où ils allaient s'y engouffrer, une voix derrière eux les interpella.

— Attendez-moi, je viens avec vous! s'écria Darkhan.

Kendhal leva les yeux au ciel.

— Tu as entendu Thyl? Luna n'a pas besoin de chaperon!

— J'ai bien compris, rétorqua le guerrier, acerbe. Si je vous ai rejoints, c'est uniquement pour assouvir ma propre curiosité. Rien de plus!

— Mouais, c'est ça! ricana Luna. Et où sont nos deux froussards ailés?

— Allanéa et Hoël nous attendent juste au-dessus, sur les remparts.

— Vous descendez, ou quoi? leur cria Thyl depuis le bas de l'escalier.

Les trois amis dévalèrent les marches et débouchèrent dans une galerie voûtée. Il y faisait froid et sombre, mais, grâce à leurs yeux de nyctalopes, les elfes y voyaient comme en plein jour. La voûte était constituée de briques disposées en chevrons et les murs étaient couverts de traînées blanchâtres de salpêtre. Deux galeries s'enfonçaient respectivement à droite et à gauche dans les profondeurs du sous-sol. Comme Elbion s'engageait à droite, tout le monde le suivit, mais bientôt le chemin se divisa en trois branches et le loup sembla hésiter.

— Prenons toujours à droite, proposa Luna. Ainsi nous pourrons facilement retrouver notre chemin.

Personne n'avait envie de se perdre dans cet inquiétant souterrain. Ils se rallièrent donc à la proposition de la jeune fille. Arrivés à un nouvel embranchement, ils prirent une nouvelle fois à droite. Mais, brusquement, Elbion se figea, la queue basse et les oreilles couchées.

— Stop! cria-t-il à Luna. Rebroussons chemin!

— Mais pourquoi?

— Les vibrations que je ressentais en arrivant, elles viennent de là. Elles sont... très fortes, à présent, à peine... supportables. Vite, faisons demi-tour! Ce qui se cache dans cet endroit est... pire que la mort.

— Que se passe-t-il? s'enquit Kendhal qui n'avait bien évidemment pas entendu les propos du loup.

— Elbion sent un danger! expliqua Luna. Il veut que nous sortions d'ici au plus vite.

— Ah, je croyais que tu n'aimais pas qu'on te dise quoi faire! se moqua Darkhan.

— Mon loup possède un flair que tu n'auras jamais, rétorqua-t-elle, piquée au vif. Et je ne suis pas stupide au point d'ignorer ses intuitions. Si Elbion perçoit une menace, je l'écoute. Et s'il me dit de fuir, j'obéis sans me poser de questions.

Tout à coup, un grondement terrifiant comme celui d'un monstre à l'agonie monta des profondeurs de la terre. Elbion détala en courant. Luna l'imita et tout le monde s'élança derrière elle, même Darkhan.

Les sept amis n'eurent pas à se concerter. À présent tout le monde était d'accord pour retourner au bateau. La petite troupe silencieuse traversa en sens inverse les salles vides du logis seigneurial. Après qu'ils eurent longé la rue principale du village, les avariels portèrent leurs amis au-dessus de la porte obstruée par les gravats et quittèrent la barbacane en ruines. La descente de la colline fut bien plus aisée et rapide que son ascension.

Guidés par les avariels, ils prirent la direction de l'anse où mouillait *La folie d'Acuarius*, en formant une file indienne silencieuse. Chacun était perdu dans ses pensées.

Hoël et Allanéa volaient en tête du convoi. Encore sous le choc de l'agression des fantômes, ils espéraient bien ne plus jamais remettre les pieds dans cette sinistre citadelle. Sylmarils, qui malgré le danger avait trouvé l'aventure palpitante, avait hâte de tout raconter à Kern et à Gabor. Avec un peu de chance, ses cousins auraient eux aussi fait des découvertes fascinantes et elle resterait avec eux le lendemain afin d'explorer à son tour les fonds marins. Thyl marchait à côté de la belle océanide en essayant d'imaginer à quoi pouvaient bien ressembler ceux qui avaient bâti l'imposante forteresse.

Un peu derrière, Elbion avançait lentement, soucieux et fatigué, suivi de Luna et de Kendhal qui se donnaient la main. Même si l'adolescente reconnaissait avoir eu son content d'émotions pour la journée, elle estimait que la visite de la citadelle n'était pas terminée. Elle comptait bien y retourner les jours prochains, pendant que les autres poursuivraient leur exploration de la région. Kendhal, quant à lui, devinait les pensées de son amie et se demandait déjà comment la dissuader de se rendre à nouveau là-bas.

Darkhan fermait la marche, à une dizaine de mètres derrière. Il était d'humeur particulièrement sombre. En réalité, il digérait mal sa prise de bec avec Luna. Au fond de lui, il savait qu'il avait tort d'être aussi protecteur avec sa cousine, mais il avait du mal à s'en empêcher. C'était plus fort que lui, comme une sorte d'instinct… paternel. Luna était un peu comme sa fille, comme la grande sœur de Khan. À la pensée de son fils, son cœur se serra davantage. Khan et Assyléa lui manquaient terriblement, mais il était soulagé de les savoir en sécurité à Océanys, loin de cet endroit maudit.

La petite troupe marchait depuis une demi-heure environ quand Luna se rapprocha d'Elbion.

— Dis, je peux te poser une question? Tu es brave, fort et courageux, tu n'as jamais reculé devant aucun danger, tu as souvent bravé ta peur et même pris des risques énormes pour me venir en aide. Pourquoi étais-tu aussi effrayé, dans le souterrain? C'est la première fois que je te vois fuir de la sorte.

Elbion ne répondit pas tout de suite. Les yeux à demi plissés, il semblait chercher ses mots.

— Ce qui se terre là dépasse tout ce que j'ai pu rencontrer jusqu'à présent. C'est pire que les drows, Luna! Pire que les urbams et pire encore que Sylnor!

— Pire que ma sœur! répéta Luna, incrédule.

— Bien pire. Cette chose que j'ai sentie et que nous avons entendue gronder est le mal absolu. Et j'ai bien peur que nous ne l'ayons réveillé.

Dans les yeux gris de Luna, Elbion lut l'écho de sa propre terreur.

— Et les fantômes? fit-elle.

— Je crois qu'ils étaient là pour nous empê-cher de commettre l'irréparable, justement.

— Comme des gardiens?

— Oui, je pense que leur rôle était de nous éloigner de la chose.

Kendhal n'avait pas pu entendre les propos d'Elbion, mais il avait néanmoins perçu le trouble de son amie. Il lui demanda de tra-duire, ce qu'elle consentit à faire en résumant un peu.

— Elbion a senti une présence maléfique tapie au fond de ce labyrinthe. Selon lui, il y a là-bas une créature bien plus dangereuse que les drows, et il pense que nous l'avons réveillée.

L'elfe de soleil blêmit, mais ne fit aucun com-mentaire. Si Elbion avait raison, cela signifiait qu'ils ne pourraient jamais s'installer dans les parages, au grand dam de son amie.

Soudain, des cris et des éclats de voix écla-tèrent derrière eux. Ils s'arrêtèrent et firent aussitôt volte-face. Un spasme d'angoisse les saisit lorsqu'ils découvrirent que Darkhan avait disparu.

Kendhal et Elbion rebroussèrent immédia-tement chemin. Luna héla Thyl et Sylmarils avant de se lancer à son tour à la recherche de son cousin. Elle se faufila sous la branche basse d'un jeune frêne et percuta Kendhal qui s'était arrêté. À ses côtés, Elbion, babines retroussées et oreilles pointées en avant, grondait, prêt à bondir. Luna suivit son regard et se figea à son tour.

Quatre créatures vêtues de feuilles et cachées derrière des masques peints pointaient des sagaies aiguisées vers un Darkhan immobile, empêtré dans un filet de lianes.

# 9

Les troupes de matrone Sylnor n'eurent guère plus de chance dans les niveaux inférieurs de Rhasgarrok. Là aussi les demeures avaient été mises à sac; leurs habitants dévorés et empalés trônaient au milieu des places publiques comme de sinistres avertissements. Même les drows, pourtant habitués à la violence et au sang, peinaient à soutenir l'odieux spectacle. Certains s'éloignaient pour vomir, d'autres s'effondraient en pleurant, ayant sans doute reconnu parmi les victimes l'un des membres de leur famille.

Seule matrone Sylnor restait de marbre. Quiconque aurait pu prendre son impassibilité pour de l'indifférence, mais en réalité la matriarche était terrorisée. De ne pas montrer ses émotions était pour elle une façon de surmonter sa frayeur, de ne pas craquer. Son armée comptait sur elle. En aucun cas elle ne devait montrer le moindre signe de faiblesse.

Ils avançaient en direction des arènes de la ville quand un jeune mage noir que Sylnor appréciait pour ses talents et son dévouement vint s'incliner devant elle. Avec son crâne glabre tatoué de motifs ésotériques bleutés, il était facilement identifiable ; en outre, cette particularité lui donnait vraiment fière allure. Dans ses yeux gris clair se lisait tout le respect qu'il portait à la jeune prêtresse.

— Votre Grâce, me serait-il permis de vous demander une faveur ?

— Demande toujours, Ethel, j'aviserai ! rétorqua-t-elle froidement.

— Ma famille habite tout près d'ici, dans le quartier est. Accepteriez-vous que je m'y rende avec mon escadron afin de… de voir si…

— S'ils ont survécu ? J'accepte ta requête. Et je vais même faire mieux, tiens : nous irons ensemble.

Le jeune homme sourcilla, stupéfait de cet honneur, pendant que la matriarche aboyait de nouveaux ordres :

— Reformez vos unités et fouillez chaque quartier de la ville ! Je prends en charge le quartier est avec cinq escadrons. Vous avez ordre de tuer sans sommation tout ce qui ne ressemble pas à un drow. Rendez-vous aux arènes dans deux heures !

Tous les guerriers obéirent et s'éparpillèrent dans la ville.

— Ne ferions-nous pas mieux d'aller vérifier si le quartier des nobles a tenu bon ? suggéra Ylaïs à voix basse à sa maîtresse. Qui sait, ils ont peut-être besoin de renforts !

— Chaque chose en son temps ! la rabroua Sylnor. Je veux être sûre qu'aucune de ces créatures cannibales ne se cache là. Pas question qu'elles nous prennent à revers lorsque nous franchirons les portes des nobles.

La première prêtresse acquiesça sans montrer sa déception. Matrone Sylnor releva fièrement la tête et, suivie d'Ethel, se mit en route vers l'est.

Ils ne furent guère surpris de constater que là encore les maisons avaient été saccagées et les dépouilles de leurs habitants, exposées à chaque coin de rue. Pourtant quelque chose était différent par là. Sylnor n'aurait su dire quoi avec précision, mais elle sentait comme une présence autour d'elle. Elle resserra sa main sur la garde de son cimeterre et banda son esprit, prête à faire appel à son orbe d'énergie destructrice. Ce fut Ethel qui souligna le détail qui lui avait jusqu'à présent échappé.

— Regardez, Votre Grandeur, toutes les

portes et fenêtres ont été barricadées. On dirait que les gens qui vivent ici ont essayé de soutenir le siège.

— Hélas, tu vois comme moi tous ces cadavres qui souillent notre cité. Je pense que leurs efforts pour se défendre ont été vains.

Ethel poursuivit son chemin en serrant les dents. Il voulait y croire jusqu'au bout. Tant qu'il n'aurait pas vu de ses yeux le cadavre de sa mère, il garderait espoir. Pourtant tout portait à croire que les habitants de ce quartier n'avaient pas échappé au massacre. Le silence mortel, l'odeur des corps en putréfaction et le délabrement des habitations étaient éloquents.

— C'est ici qu'habite ma famille, indiqua le jeune sorcier en s'arrêtant devant une modeste maison. On a apparemment eu le temps d'abaisser les rideaux de fer.

Toutes les ouvertures avaient été obstruées à l'aide de solides protections métalliques. Ethel tendit ses mains en avant et se concentra. Un rayon écarlate surgit de ses paumes pour frapper le métal tel un chalumeau. La chaleur de l'impact fit lentement fondre les contours de la plaque métallique. D'autres sorciers entreprirent de l'aider à forcer le passage. Lorsque la voie fut dégagée, le jeune mage s'introduisit dans les ténèbres de sa maison.

— Prends garde à toi! lui cria Sylnor. Lloth seule sait ce que tu vas découvrir là-dedans!

Bien décidée à attendre son protégé, elle envoya Ylaïs et trois escadrons sillonner les autres rues de ce quartier.

Après dix minutes interminables, la tête d'Ethel jaillit enfin de l'ouverture béante.

— Matrone Sylnor, ma mère est en vie! lui annonça-t-il. Elle est blessée et difficilement transportable, mais elle a d'importantes révélations à vous faire, si vous voulez bien me suivre.

La matriarche saisit sans hésiter la main qu'il lui tendit. Les deux généraux qui veillaient sur elle s'apprêtaient à la suivre quand elle les refoula d'un ordre sec.

— Restez où vous êtes! J'ai confiance en Ethel. En cas de danger, il saura veiller sur moi.

Le cœur gonflé de fierté, le jeune homme serra la main gantée de Sylnor dans la sienne pour l'entraîner dans les méandres de sa demeure. Ils traversèrent un vestibule et s'engagèrent dans un long couloir au bout duquel se trouvait une arche sculptée de motifs arachnéens. Elle s'ouvrait sur un salon au mobilier rustique. Là, dans un coin, se tenait une silhouette recroquevillée. Des bandages rougis enserraient son bras gauche et ses deux jambes.

— Mère, annonça Ethel d'une voix douce, la grande prêtresse de Lloth nous fait l'honneur de nous rendre visite. Elle veut entendre tout ce que vous savez. Parlez-lui sans crainte.

La vieille matrone drow se redressa un peu et leva le regard pour distinguer les traits de la nouvelle arrivante. Si ses yeux, aussi clairs que ceux de son fils, brillaient de gratitude et d'admiration, son visage émacié prouvait à quel point elle avait souffert.

— Oh, par Lloth, quel bonheur de vous revoir parmi nous, Votre Magnificence! commença la femme en chevrotant. Si vous saviez quelle tragédie s'est abattue sur notre pauvre cité! Que de malheurs, que de morts!

— Venez-en au fait! la coupa Sylnor qui ne supportait pas les jérémiades.

— Tout a commencé peu de temps après votre départ. Au début, on a constaté des vols dans nos réserves de nourriture qui sont devenus de plus en plus fréquents et de plus en plus rapprochés au fil des semaines. Les voisins se sont d'abord accusés mutuellement. Vous savez comment sont les drows; prompts à s'emporter et à se chercher querelle. Il y a même eu quelques sanglantes vendettas. Mais, comme aucun quartier n'échappait aux razzias, nos soupçons ont commencé à se tourner vers d'autres suspects. Nous avons tendu des pièges et organisé des battues dans les profondeurs de notre cité.

— Et alors?

— Et alors, nous n'avons rien trouvé! Mais nos agissements ont exacerbé la faim de nos ennemis invisibles. Ils sont revenus en force une nuit et, cette fois, ils ne se sont pas contentés de piller nos provisions. Ils ont attaqué les gens dans leurs maisons et les ont… dévorés!

— Mais qui c'était, bon sang? enragea la jeune matriarche.

— Les hommes-rats! murmura la mère d'Ethel comme si le simple fait de prononcer leur nom suffisait à les attirer.

— Des hommes-rats?

— Oui, des milliers et des milliers! La faim les a poussés à sortir des trous immondes où ils vivaient reclus depuis des siècles. Comme nous étions moins nombreux et que nos meilleurs éléments n'étaient plus là pour nous défendre, ils ont vu là une occasion en or de se servir dans nos réserves. Mais cela ne leur a pas suffi. Peu à peu, nous sommes devenus leur gibier préféré.

— Oh, par la déesse! se lamenta Sylnor. Mais n'avez-vous pas tenté de vous défendre? De les repousser?

— Si, bien sûr! Mais ils étaient chaque fois plus nombreux et nous tombions les uns après les autres au combat. Mes deux plus jeunes fils sont morts sous mes yeux. Nous avons fini par nous terrer à notre tour comme des rats. Voici deux mois que je ne suis pas sortie de chez moi. J'ai survécu en économisant mes maigres réserves et en grignotant avec parcimonie. Mais cela fait des jours et des jours que je n'ai rien avalé de solide.

— Y a-t-il d'autres survivants ?

— Certainement, mais ils se cachent comme moi, à moins qu'ils ne soient morts de faim. Je sais de source sûre que de nombreux nobles ont trouvé refuge au monastère. Vos réserves alimentaires sont immenses et vos murailles, très épaisses. Là, vous trouverez sans doute des rescapés. Mais je dois vous avouer qu'il était temps que vous rentriez. Une ou deux semaines plus tard et Rhasgarrok était une ville morte.

Matrone Sylnor se figea. Malgré sa déférence, la vieille moribonde lui faisait un reproche à peine voilé. Elle l'accusait presque ouvertement d'avoir laissé mourir son peuple. Cette impudente méritait cent fois la mort. Pourtant, elle avait raison. Par son entêtement à poursuivre sa vengeance personnelle, matrone Sylnor avait conduit sa propre race à la ruine. En entraînant toutes les forces vives de la cité dans la plus grande campagne militaire jamais réalisée, elle avait laissé les drows les plus vulnérables sans aucune protection et sans aucun moyen de se défendre. Elle avait agi de façon inconsciente et égoïste. En tant que grande prêtresse de Lloth, il était de son devoir de penser aux siens avant de penser à elle. Son devoir…

La jeune fille était accablée de remords. Elle se demanda soudain si Lloth lui pardonnerait un jour son erreur. Mais une autre pensée chassa son sentiment de culpabilité. Pourquoi la déesse n'avait-elle rien fait pour aider les drows en difficulté? Pourquoi n'avait-elle pas non plus averti sa protégée du danger? Pourquoi avait-elle laissé un tel carnage se produire?

— Nous devrions peut-être nous rendre au monastère afin d'aider les autres survivants, proposa Ethel dans un murmure.

— Oui, nous allons le faire, fit Sylnor sur le même ton. Mais pas avant d'avoir secouru tous les rescapés de ce niveau. Mon peuple a besoin d'aide, Ethel. Je veux lui prouver qu'il peut compter sur moi!

Le sourire franc que lui renvoya le jeune sorcier remplit son cœur d'un espoir nouveau.

# 10

Les quatre créatures masquées se tenaient immobiles autour de leur prisonnier. Les pointes luisantes de leurs sagaies menaçaient de perforer Darkhan, emmailloté dans leur filet de lianes. Seule la présence des deux elfes et du loup semblait avoir arrêté leur geste.

Tous se dévisageaient, sur le qui-vive. La tension était palpable. Le moindre mouvement d'un côté ou de l'autre risquait de déclencher les hostilités.

— Ce type vous suivait! déclara soudain une des quatre créatures. Il allait vous tuer.

Kendhal aurait été bien incapable de déterminer laquelle avait pris la parole, mais il comprit immédiatement qu'il y avait méprise.

— Pas du tout! Darkhan est avec nous. C'est notre ami.

— Tu mens! reprit une autre voix, masculine

cette fois. Ce guerrier est un drow et les drows n'ont pas d'amis.

Luna sursauta.

— Eh, comment connaissez-vous l'existence des drows?

— Silence, petite! ordonna une troisième voix. Ici, c'est nous qui posons les questions!

Thyl et Sylmarils arrivèrent à ce moment précis, essoufflés et déroutés par la scène qui s'offrait à eux.

— Eh, qu'est-ce qui se passe ici! s'inquiéta l'empereur des avariels.

— Ces gens pensent que Darkhan est un drow et qu'il voulait nous tuer, précisa Kendhal.

— Tu leur as dit qu'il est de sang mêlé? demanda Sylmarils à Luna.

— J'allais le faire!

Un mouvement furtif dans le ciel attira soudain son attention. Hoël et Allanéa se tenaient à la cime d'un sycomore, arc en main, prêts à intervenir. Confiante, Luna fit un pas en direction des créatures.

— Pas un geste ou on le tue! gronda une quatrième voix.

— Ne soyez pas aussi agressifs! s'écria Luna. Darkhan est mon cousin, il est à moitié elfe de lune et à moitié elfe noir, comme moi, d'ailleurs, sauf que sa peau à lui est noire. Mais cela ne change rien à ses qualités; Darkhan est un guerrier valeureux, honnête et droit.

— Aucun drow n'est honnête et droit. Ces êtres malfaisants ne sont pas les bienvenus ici.

Thyl soupira, exaspéré.

— Mais puisqu'on vous dit que Darkhan n'est pas un drow!

— Nous ne voulons pas d'adeptes de Lloth à Ysmalia. Si c'est votre ami, emmenez-le loin d'ici et repartez d'où vous venez, ou nous vous tuerons tous.

Comme pour appuyer sa menace, l'un des agresseurs enfonça sa sagaie dans la cuisse de son prisonnier. Darkhan hurla de douleur. Hoël lâcha la flèche qu'il avait encochée. Dans un claquement sec, la pointe vint se ficher au pied de celui qui avait le masque le plus coloré. Il bondit en arrière en lâchant une bordée de jurons.

— Comme vous le voyez, nous avons des alliés, s'énerva Kendhal en désignant les deux avariels perchés dans les arbres. Nous sommes sept contre quatre, sans compter notre loup.

— Ça nous est égal de mourir, du moment qu'on emporte l'âme du drow avec nous.

Luna sentait que la situation risquait de dégénérer. Elle explosa.

— Mais vous allez nous écouter, à la fin? Darkhan n'est pas un drow, cornedrouille!

D'ailleurs, si vous connaissez les drows, vous devez aussi savoir que leur plus farouche ennemi se nommait Hérildur. Or, il s'avère que le roi des elfes de lune était mon grand-père et aussi celui de Darkhan, ce qui signifie que celui que vous vous évertuez à traiter de drow est un prince de sang royal!

Sa diatribe enflammée eut l'effet escompté. Les quatre créatures se calmèrent aussitôt et se dévisagèrent en silence. Une à une, elles lâchèrent leur arme et s'écartèrent de Darkhan, sauf celle qui se trouvait à sa gauche. Elle s'approcha et, d'un geste sec, arracha son masque.

À la grande surprise des elfes, il s'agissait d'une femme. D'une vieille femme toute ridée, dont la peau cuivrée et parcheminée rappelait… celle du Marécageux.

Luna tituba. Son cœur fit un bond dans sa poitrine.

— Viurna! Vous êtes Viurna?

L'elfe sylvestre fit un pas hésitant dans sa direction. Son regard couleur de jade brillait de larmes contenues. Tout le monde retenait son souffle. Elle s'approcha jusqu'à toucher Luna.

— Sylnodel? murmura-t-elle en posant sa main parcheminée sur la joue claire de l'adolescente. Sylnodel, c'est bien toi, n'est-ce pas? Mais comment… par quel miracle…

La gorge nouée par l'émotion, Luna ne put répondre. À la place, elle se jeta contre la sœur du Marécageux en pleurant de bonheur. Ses compagnons en profitèrent pour se ruer sur Darkhan afin de le libérer de sa prison végétale. Ils découvrirent avec un pincement au cœur qu'il était blessé en plusieurs endroits. Les plaies ne semblaient pas profondes, mais, si elles n'étaient pas rapidement soignées, elles risquaient de s'infecter.

— Nous sommes vraiment désolés, s'excusa un elfe sylvestre plus jeune que Viurna. Il faut nous comprendre, nous avons réellement cru que votre ami était un drow.

— Comme il se débattait, le bougre, nous n'avons trouvé que ce moyen pour le calmer.

— Mais vous avez de la chance, reprit le premier, aujourd'hui nos sagaies n'étaient pas empoisonnées!

— Et nous avons toujours des feuilles anesthésiantes sur nous, ajouta une jeune fille à l'intention de Darkhan tout en fouillant dans son sac. Tenez, appliquez ça sur vos blessures, ça va vous soulager.

En serrant les dents, le guerrier s'empara des feuilles que l'elfe sylvestre lui tendait. Même s'il comprenait les raisons de leur attaque, il n'était pas pour autant prêt à oublier les mauvais traitements qui lui avaient été infligés.

Pourtant la blessure la plus dure à panser serait encore celle qu'avait subie son amour-propre. Un guerrier costaud et fort comme lui, mis à mal par quatre petits êtres malingres habillés de feuilles et armés de piques, quelle cuisante humiliation ! À sa décharge, il fallait avouer que ces fourbes l'avaient pris par surprise, alors que ses pensées étaient toutes à son fils et à sa femme. Il n'avait pas eu le temps de s'emparer de son arme que déjà un filet lui tombait dessus et que des pointes acérées lui perforaient le dos et les bras. Ah, il avait fière allure, le valeureux guerrier qui prétendait vouloir protéger sa jeune cousine ! Heureusement, personne ne fit allusion à son manque de débrouillardise et, comme ses blessures étaient bénignes, ses amis étaient attroupés auprès de Luna et de Viurna, émus par leurs improbables retrouvailles.

— Mon enfant, je suis tellement heureuse, si tu savais ! sanglotait la vieille femme. Même si le mot cornedrouille m'avait déjà interloquée, c'est lorsque tu as prononcé le nom d'Héril-dur que j'ai compris. Le nom de ton cousin était sorti de ma pauvre tête, mais pas celui du roi que j'ai tant chéri, ni le tien, ma petite Sylnodel. Toutes ces années je n'ai cessé de penser à toi. Je me demandais souvent si mon frère avait réussi à te protéger de la folie meurtrière des drows. Au fait, comment va ce vieux briscard ?

— Nous avons tant de choses à nous dire, Viurna, la coupa gentiment Luna. Il s'est produit tellement de choses depuis que vous m'avez déposée chez votre frère.

La vieille elfe sylvestre lui agrippa le bras avec ferveur.

— Je veux tout savoir dans les moindres détails, depuis le jour où je t'ai conduite au marais de Mornuyn jusqu'à ton arrivée à Ysmalia.

— Oh, mais il me faudrait des heures et des heures pour tout vous raconter.

Le visage ridé de Viurna s'illumina.

— Toi et tes amis, vous allez nous accompagner au village. Ce soir, nous fêterons nos retrouvailles.

Luna lui rendit son sourire, mais les autres ne semblaient pas partager son enthousiasme.

— Eh bien, c'est-à-dire que nous sommes venus en bateau et que nos amis nous y attendent, commença Kendhal, gêné.

— Ce n'est pas un problème ! s'écria spontanément Sylmarils. Moi, je vais retourner auprès de mes cousins pour les prévenir que vous ne mangerez pas à bord ce soir et on se retrouvera demain matin.

— Je t'accompagne, déclara aussitôt Thyl.

— Excellente idée! fit Kendhal. Elbion et moi, nous accompagnons Luna.

— Nous aussi! déclarèrent conjointement Hoël et Allanéa.

— Et toi, Darkhan? s'enquit Luna en posant une main amicale sur son épaule.

— Je vais rentrer avec Thyl et Sylmarils, déclara-t-il en se levant lentement. Je pense que tu as raison, tout compte fait, tu n'as absolument pas besoin de moi! Il est temps que je te laisse vivre ta vie. Tu te débrouilles très bien sans moi! Mieux, même…

Luna le serra tendrement dans ses bras.

— Oh, Darkhan, ne dis pas ça! C'est vrai que tu es parfois un peu trop protecteur et que tu n'as pas toujours confiance en moi alors que j'ai pourtant fait mes preuves, mais je ne t'en veux pas. Je sais que tu agis ainsi par amour. Moi aussi, je t'aime plus que tout!

Touché, le guerrier déposa un baiser sur les cheveux d'argent de sa cousine.

— À demain, et prends soin de toi!

— Oui, papa! plaisanta l'adolescente en lui décochant un clin d'œil complice.

Le petit groupe se scinda en deux. Thyl, Sylmarils et Darkhan reprirent leur chemin en direction du nord vers la côte, pendant que leurs amis suivaient les quatre elfes sylvestres à l'intérieur des terres d'Ysmalia, dans la lumière déclinante de cette fin d'après-midi.

Luna qui marchait à côté de Viurna en profita pour lui parler des fées.

— Vous savez, c'est Ma'Olyn, la guérisseuse supérieure des fées, qui m'a parlé de vous.

— Oh, vraiment? Et comment va-t-elle, à ce propos?

— Heu, elle… elle est morte. Elle a sacrifié sa vie pour sauver ses sœurs, et nous par la même occasion. Mais avant de rendre l'âme elle m'a raconté votre naufrage, votre séjour à Tank'Ylan et votre volonté de rejoindre Ysmalia. J'ai pensé que, si vous cherchiez cette terre, c'était que vous aviez une bonne raison.

— La meilleure de toutes, concéda Viurna. Ma sœur cadette vit ici avec tous les elfes sylvestres qui se sont jadis exilés. Nous n'étions qu'une poignée à avoir refusé de quitter les terres du Nord, tu sais. Les nôtres étaient venus depuis longtemps s'installer ici, dans cette région paisible… loin, très loin des drows.

— Vous les haïssez donc autant que nous! commenta Luna.

Elle aurait voulu lui confier dès à présent qu'eux aussi comptaient venir s'installer là, mais elle préféra attendre de faire plus ample connaissance.

Ils cheminaient depuis un bon moment dans

la dense végétation de la forêt quand Viurna s'arrêta brusquement pour regarder le ciel. Elle fronça les sourcils avant de hâter sensiblement le pas.

— Dépêchons-nous d'arriver avant que la nuit ne tombe ! fit-elle à ses compagnons avant de se tourner vers Luna. Il ne fait pas bon traîner dans les parages après le coucher du soleil.

— Pourquoi cela ? s'étonna Kendhal.

— De nombreux prédateurs vivent dans cette forêt, vous savez. Des bêtes sauvages et affamées dont il vaut mieux éviter de croiser le chemin.

— Ah ! Pourtant, nous avons essayé de chasser durant la journée, mais nous n'avons trouvé aucun gibier.

— C'est… c'est justement parce que les créatures qui rôdent la nuit ont mangé toutes les autres.

Kendhal hocha la tête en signe d'acquiescement, mais il n'était pas dupe. Viurna leur cachait quelque chose. Il décida alors de lui parler des traces de pas sur la plage.

— Dites, en débarquant ce matin à l'aube, nous avons découvert des traces de pieds partout sur la plage. Ne serait-ce pas l'un des vôtres qui serait venu nous espionner ?

Luna sentit ses joues s'empourprer, mais ni Viurna ni Kendhal ne le remarquèrent.

— Non, jeune homme, nous n'avons pas pour habitude d'espionner les gens !

Kendhal sourit franchement.

— Pourtant, pour remarquer que Darkhan nous suivait, il vous a bien fallu nous observer un moment, non ?

La vieille femme lui adressa un clin d'œil et poursuivit sa route, imperturbable, à travers l'épaisse végétation de la jungle. Tous les elfes sylvestres avaient forcé l'allure. La peur que leur inspirait la nuit n'était pas feinte. Ils progressaient vite et dans un silence absolu. Luna et ses amis, gagnés par leur appréhension, les suivirent sans prononcer un mot. Lorsqu'ils arrivèrent enfin en vue des modestes chaumières blotties les unes contre les autres le long d'une falaise protectrice, l'obscurité était tombée sur la forêt tel un voile funéraire. L'air était doux, la forêt exhalait des senteurs florales et sucrées, mais personne ne semblait avoir envie de s'attarder dehors. Les elfes sylvestres se glissèrent rapidement dans leurs maisonnettes respectives et verrouillèrent la porte à double tour. Seule Viurna invita les quatre jeunes gens et le loup à pénétrer chez elle. Mais à peine fut-elle entrée qu'elle barra la porte à l'aide d'une lourde planche de bois. Ce détail n'échappa pas à Kendhal.

Luna, elle, fut aussitôt attirée par la délicieuse

odeur de soupe qui la ramena dans la cabane de son Marécageux. Elle ferma les yeux pour savourer le fumet, mais les rouvrit bien vite, tirée de sa nostalgie par des cris enfantins.

— Gran'ma! Gran'ma! pépiait la fillette âgée d'une dizaine d'années. Gran'ta est revenue avec des gens bizarres et un drôle d'animal. Viens voir! Viens voir!

Tout excitée, l'enfant trépignait de joie, sautillant d'un pied sur l'autre, ce qui faisait danser ses longues tresses vertes ornées de rubans multicolores. Alertée par la voix aiguë de sa petite-fille, une autre elfe sylvestre jaillit d'une porte située au fond de la maisonnette. Elle ressemblait trait pour trait à Viurna, mais son visage fermé indiquait clairement son mécontentement. Contrairement à la fillette, elle ne semblait pas apprécier la présence des étrangers sous son toit.

— Qui sont ces gens? aboya-t-elle en retroussant son nez pointu.

— Hum, tu pourrais te montrer un peu plus aimable avec nos invités! Ce n'est pas tous les jours qu'un roi et une princesse, escortés de nobles avariels, nous font l'honneur de leur visite.

À ces mots Gran'ma blêmit, tandis que les yeux mutins de la petite fille se mirent à briller d'admiration.

— Tu veux dire un vrai roi et une vraie princesse ? s'écria-t-elle, ébahie. Comme dans les histoires que tu me racontes ?

— Oui, ma pistounette. Je te présente la princesse Sylnodel, petite-fille d'Hérildur, et le roi des elfes de soleil, Kendhal, fit Viurna avec emphase avant de se tourner vers eux pour poursuivre les présentations. Mes amis, voici Alba, ma petite-nièce, et Gran'ma, ma sœur cadette. Elle est un peu ronchonne, mais elle a un bon fond.

— Enchantée de faire votre connaissance ! fit Luna en souriant.

— Moi de même ! déclara Kendhal sur le même ton.

Hoël et Allanéa, jusque-là restés en retrait, firent un pas en avant pour saluer leur hôte et la remercier de son hospitalité.

— Hé, pourquoi vous avez des ailes ! clama la petite Alba en ouvrant des yeux ahuris.

— Parce que nous sommes des avariels, des elfes ailés si tu préfères.

— Et c'est qui, lui ? s'écria la fillette en désignant le loup. Il a un nom ? Il est gentil ? Je peux le caresser ? Il ne mord pas ?

Luna éclata de rire. Cette jeune délurée lui en rappelait une autre… Elle s'approcha de la fillette, lui prit la main et la posa doucement sur la fourrure ivoire.

— Ce loup s'appelle Elbion et il est adorable, tu vas voir. C'est mon frère de lait.

— Ça veut dire quoi ?

— C'est sa maman loup, qui s'appelait Shara, qui m'a allaitée en même temps que lui. Nous avons grandi ensemble.

Se tournant vers celle qu'on appelait Gran'ma, elle ajouta :

— C'est votre frère aîné, le Marécageux, qui a eu l'idée de me confier à cette louve. C'est certainement le plus beau cadeau qu'il m'ait jamais fait.

À l'évocation de son frère, la sœur de Viurna se détendit visiblement. Son visage austère esquissa un sourire.

— Dans ce cas, soyez les bienvenus dans ma modeste demeure. Venez, venez donc, et mettez-vous à l'aise.

Elle leur indiqua une banquette et deux fauteuils installés devant la cheminée où bouillonnait une grosse marmite. Les jeunes gens prirent place, pendant qu'Elbion s'allongeait sagement devant l'âtre.

— Alors, racontez-moi ce que font ensemble une elfe de lune, un elfe de soleil et deux elfes ailés aussi loin de leur terre natale. J'ai hâte d'entendre votre histoire.

Tour à tour, Luna, Kendhal, Hoël et Allanéa firent le récit de leurs aventures respectives.

Luna insista sur son enfance chez les loups pour le plus grand bonheur d'Alba qui, abasourdie, n'en perdit pas une miette. Lorsqu'elle évoqua la libération d'Ambrethil, Viurna écrasa une larme de joie sur sa joue parcheminée. La vieille nourrice avait tant prié pour que celle qu'elle considérait comme sa fille fût encore en vie qu'il lui était difficile de contenir son émotion.

Pour laisser à sa sœur le temps de se remettre, Gran'ma proposa à ses invités un grand bol de potage fumant qu'ils acceptèrent avec plaisir. Elle leur coupa également une tranche de pain frais et déposa des morceaux de fromage sur la table, ainsi qu'une corbeille de fruits très colorés. Tout le monde se restaura avec appétit, pendant que Kendhal racontait comment Laltharils était devenue une cité refuge cosmopolite et ouverte, pour tous les elfes qui fuyaient les exactions des drows. Gran'ma ne cacha pas son scepticisme à l'évocation des bons elfes noirs qui avaient fui Rhasgarrok, mais elle eut la politesse de ne rien dire.

La nuit était déjà bien avancée et Alba, qui tombait de fatigue, était depuis longtemps allée se coucher lorsque Luna aborda les heures noires de Laltharils. Si elle passa sous silence l'identité de la nouvelle matriarche pour ne pas peiner Viurna, en revanche elle évoqua sans détour la mort d'Hérildur, la destruction de Ravenstein, leur fuite désespérée vers Naak'Mur, ainsi que la nouvelle attaque des drows qui les avait poussés à prendre la mer. Kendhal narra ensuite leurs aventures maritimes. Il insista sur l'hospitalité des océanides et évoqua la cruauté des abysséens, de même que la sagesse des fées.

— Depuis, nous vivons à Océanys, résuma Allanéa. Mais, malgré la générosité et la gentillesse des océanides, nous ne nous sentons pas vraiment chez nous là-bas. La forêt nous manque, l'espace et notre liberté aussi.

— C'est pour cela que nous avons décidé de partir à la recherche d'Ysmalia, compléta Luna. En fait, nous sommes un peu moins de trois cent cinquante elfes à avoir survécu aux drows et nos espoirs reposent désormais sur cette terre providentielle. Nous voudrions y fonder une nouvelle cité et repartir de zéro.

— Vous voulez vous installer ici? sursauta Gran'ma en plissant les yeux.

— Nous aimerions bien, oui, confirma Kendhal. Pourquoi? Cela pose un problème?

— Non, non, aucun… s'empressa de les rassurer Viurna. Mais il se fait tard, mes amis. Nous devrions aller nous coucher. Nous reparlerons de tout cela demain, si vous le voulez bien.

Elle faisait signe à ses invités de se lever quand Gran'ma, après avoir jeté un coup d'œil à Alba pour s'assurer qu'elle dormait à poings fermés, la toisa avec froideur.

— Pourquoi ne leur dis-tu pas la vérité, Viurna ?

La vieille elfe sylvestre blêmit, mais ne dit mot.

— Quelle vérité ? s'enquit Luna, soupçonneuse.

— Cet endroit est maudit, princesse ! murmura Gran'ma telle une conspiratrice. Pourquoi croyez-vous que les humains d'Ysmalia nous ont laissés nous installer là ? Pourquoi les oiseaux ont-ils tous disparu et pourquoi aucun animal ne fraye-t-il dans les parages ? Hein ? À votre avis ?

— À cause des fantômes de la citadelle en ruines ! proposa Luna sans malice.

Les deux femmes écarquillèrent les yeux de frayeur. Gran'ma ouvrit la bouche, mais aucun son n'en sortit.

— En nous aventurant dans la forêt, nous avons découvert la forteresse, expliqua Kendhal. Et nous sommes allés la visiter.

Gran'ma chancela et se laissa tomber dans son fauteuil, livide.

— Je... je croyais que l'entrée en avait été condamnée, balbutia Viurna.

— Notre nature nous permet d'éliminer bien des obstacles terrestres, expliqua Allanéa en montrant ses ailes. Mais j'avoue que, cette fois, nous aurions dû nous abstenir, car, dans le logis seigneurial, nous avons été attaqués par des revenants en furie. J'en suis encore toute bouleversée.

— Vous… vous avez rencontré les fantômes des gardes? fit Viurna en se laissant tomber dans l'autre fauteuil.

— Oui, mais, grâce à mon pouvoir, je les ai rapidement repoussés et chassés, la rassura Luna. Nous avons pu terminer la visite tranquillement.

— Vous avez chassé les gardiens! s'écria Gran'ma, épouvantée.

— Ben oui, mais je ne vois pas le problème…

— Le problème? Le problème! suffoqua-t-elle. Mais c'est qu'il est… libre!

— Heu, de qui parlez-vous? s'inquiéta Allanéa.

Mais les deux femmes, bouleversées, ne lui répondirent pas.

— Damnation! haleta Viurna en cachant son visage dans ses mains. Qu'as-tu fait, Sylnodel, qu'as-tu fait?

— Ben oui, cornedrouille! qu'est-ce que j'ai fait?

— Je crois que tu viens de libérer un fantôme mille fois plus redoutable que ceux que tu as affrontés, fit Viurna à voix basse, comme si le revenant en question risquait de l'entendre. L'esprit maléfique du prince Djem !

# 11

Les deux elfes sylvestres paraissaient effondrées. Leur visage était blême, leurs yeux étaient agrandis par la peur et leurs mains s'étaient jointes en une prière silencieuse.

Luna et ses amis se sentaient désemparés, partagés entre la crainte et le besoin d'apaiser les tensions. L'adolescente fut la première à reprendre la parole :

— Bon, d'accord, il y a un fantôme qui hante la forteresse. Mais, vous savez, moi, des revenants, j'en ai affronté des tas. Je n'ai pas eu le temps de vous raconter mon voyage à Outretombe, mais sachez que, pour sauver l'esprit de Ravenstein et celui d'Hérildur, je suis partie au royaume des morts et, là, j'en ai rencontré, des démons plutôt coriaces, croyez-moi.

Si Viurna paraissait impressionnée par

les exploits de la jeune princesse, elle n'en semblait pas moins effrayée.

— L'avantage, Sylnodel, c'est que les morts d'Outretombe, aussi dangereux soient-ils, restent à Outretombe. À moins d'avoir recours aux services d'un puissant nécromancien, nous autres, mortels, ne pouvons pas avoir de contact avec eux. Et c'est très bien ainsi.

— Mais Djem n'est pas de ceux-là! ajouta Gran'ma, lugubre. C'est un esprit tourmenté qui n'a pas encore rejoint Outretombe. Il est violent et plein de rage. Sa haine pour les vivants est immense. C'est à cause de lui que les humains et les animaux ont déserté la région.

— Dans ce cas, pourquoi vous êtes-vous installés ici? s'interrogea Hoël.

— Parce que nous n'avions pas le choix. C'était Djem ici ou les drows dans les terres du Nord, précisa Gran'ma.

— Heureusement, grâce à la vigilance des sept fantômes gardiens, il ne nous est jamais rien arrivé de grave, ajouta sa sœur aînée. Mais nous évitons de sortir les nuits de pleine lune…

— C'est pour cela que vous aviez hâte de rentrer? devina Kendhal.

— En effet. J'ignore précisément pourquoi, mais la lune semble lui donner une vigueur nouvelle, à moins qu'elle ne neutralise ses gardiens. Quoi qu'il en soit, les nuits de pleine lune, le fantôme de Djem sort du crépuscule à l'aube et il attire ses proies en chantant. On raconte que sa voix, pleine de chagrin et de mélancolie, fait succomber les êtres au cœur pur qui sont irrémédiablement attirés vers lui. Nul ne sait ce qu'il est advenu des malheureux qu'il a capturés dans ses rets.

Les regards de Luna et d'Allanéa se croisèrent, fugaces, mais pleins de honte.

— Ce que je ne comprends pas, reprit Kendhal, c'est pourquoi il n'a pas rejoint Outretombe.

Les deux elfes sylvestres se regardèrent, hésitantes. Gran'ma fit enfin signe à son aînée qu'elle pouvait parler. Alors, Viurna raconta aux elfes la légende du prince Djem. Celle-là même qu'elle avait racontée à Alba quelques semaines plus tôt.

— Après sa disparition, ce fut sa sœur Aldriel qui monta sur le trône. Elle régna avec sagesse jusqu'à ce qu'une terrible épidémie ravage la population. Les habitants du château furent les premiers touchés, puis le mal se répandit aux alentours, frappant les villageois par milliers.

— Vous soupçonnez le prince Djem d'être à l'origine de cette maladie? s'étonna Allanéa.

Comment un mort pourrait-il infecter des vivants?

— En contaminant l'eau, pardi! répliqua Gran'ma. Djem s'est vengé à sa manière en corrompant la seule chose à laquelle il avait accès, la rivière souterraine qui alimentait l'unique puits de la citadelle.

— Quelle saleté! pesta Hoël en grimaçant de dégoût.

— Il ne faut pourtant pas lui en vouloir, reprit Viurna à mi-voix. Le prince n'était qu'un enfant lorsque son père l'a condamné. Il avait à peu près ton âge, Sylnodel. Le problème, vous voyez, c'est qu'il n'a jamais eu de sépulture. Il a été emmuré vivant. En vérité son âme ne trouvera pas le repos tant que son corps ne sera pas enterré selon les rites des humains. C'est à cette condition seulement qu'il pourra rejoindre Outretombe.

Les yeux de Luna se mirent à pétiller.

— Eh bien, partons à la recherche de son corps et offrons-lui une sépulture digne de son rang! s'écria-t-elle.

— Certainement pas! s'offusqua Gran'ma. Il vous tuerait avant. Et nul ne sait avec exactitude où il a été emmuré.

Luna hésita à parler de leur incursion dans le souterrain et du cri rauque qui leur avait glacé le sang. Elle consulta Kendhal du regard.

Comme s'il avait lu dans son esprit, il prit la parole :

— Cet après-midi, alors que nous visitions le jardin de la forteresse, nous avons découvert l'entrée d'une galerie souterraine, construite sous la citadelle. Comme Elbion percevait d'étranges vibrations, nous avons voulu aller y voir d'un peu plus près.

— Et…

— Après quelques minutes de marche seulement, nous avons entendu un grondement effrayant, comme le râle d'une bête agonisante. Nos cheveux se sont dressés sur nos têtes et nous avons aussitôt quitté la citadelle pour retourner au bateau.

Brusquement, Gran'ma se leva. La fureur déformait ses traits. La pâleur de ses joues avait laissé la place à l'écarlate. Les pupilles dilatées, elle se planta devant eux, les mains sur les hanches.

— Eh bien, je ne vous félicite pas, jeunes gens ! D'abord, vous chassez les gardiens qui protégeaient ce lieu maudit, ensuite, vous attirez l'attention du fantôme sur vous. Et tout cela en moins d'une journée !

— Oh ça suffit ! la contra Viurna en se levant à son tour. Comment voulais-tu qu'ils se doutent de quoi que ce soit ? Nos amis sont forts et valeureux. Ce sont des guerriers, des héros qui ont survécu à de multiples dangers. Tu as entendu comme moi le récit de leurs exploits. Pour eux, vaincre quelques fantômes et s'aventurer dans une galerie sombre ne semblait pas si périlleux que ça, conviens-en !

Gran'ma ronchonna, le visage fermé.

— Bon, je propose que nous allions tous dormir, renchérit Viurna. Ne dit-on pas que la nuit porte conseil ? Nous aviserons demain matin à ce qu'il convient de faire. Venez, mes amis, je vais vous conduire à votre chambre.

Laissant sa sœur à sa mauvaise humeur, Viurna fit signe à ses invités de la suivre jusqu'à la porte du fond. Elle les fit entrer dans une petite pièce creusée à même le rocher où se trouvaient trois lits superposés.

— Chacune de nos maisons possède une pièce troglodyte comme celle-ci. En fait, un réseau de galeries relie toutes nos habitations. Nous pouvons ainsi nous retrouver à la nuit tombée sans avoir à sortir. Astucieux, non ?

Pendant qu'Allanéa et Hoël choisissaient leur lit respectif, Luna s'approcha de Viurna pour la serrer dans ses bras.

— Merci pour tout ! Je vous assure encore que nous sommes désolés si nous avons commis des erreurs avec ces fantômes.

— Chut, mon enfant. N'en parlons plus ! Nous sommes en sécurité, ici.

Elle allait refermer la porte quand Luna la vit hésiter. L'elfe sylvestre darda son regard de jade dans celui de l'adolescente.

— Je ne voulais pas aborder le sujet devant Gran'ma, mais comment va notre frère aîné?

Le cœur de Luna se serra. Le moment tant redouté qu'elle avait esquivé avec soin toute la soirée venait d'arriver.

— Lorsque nous avons tué Naak'Mur, tout le monde s'est rué dans le tunnel creusé à même la falaise. C'était la panique. Je… je croyais que le Marécageux nous suivait et qu'il fermait la marche, mais… ce n'était pas le cas. Pour une raison que j'ignore, il ne nous a pas suivis. Je ne sais pas s'il est mort ou s'il a été capturé par les drows.

La main de Viurna se crispa sur la poignée de la porte, mais elle s'efforça de rester impassible. Luna poursuivit:

— Lorsque nous nous sommes embarqués sur les frégates, j'étais inconsolable. Votre frère était un peu comme mon grand-père, vous comprenez, je l'aimais plus que tout et j'avais l'impression de l'avoir abandonné et trahi. Mais Elbion m'a aidée à surmonter cette épreuve. Les loups possèdent une intuition extraordinaire, vous savez, et, selon Elbion, le Marécageux est encore en vie quelque part de l'autre côté de la mer. S'il ne nous a pas suivis, c'est qu'il lui restait une tâche à accomplir dans les terres du Nord. C'était son destin de rester là-bas.

— J'aurais dû m'en douter, fit la vieille elfe d'une voix chagrine. Mon frère est quelqu'un d'exceptionnel et Elbion a probablement raison lorsqu'il dit que la mission du Marécageux n'est pas finie. Toutefois, je sais qu'un jour vous vous reverrez.

— Elbion m'a dit la même chose, fit Luna en souriant. Mais, au fait, pourquoi ne vouliez-vous pas parler de votre frère devant Gran'ma? N'est-elle pas aussi inquiète que vous?

— À dire vrai, je ne crois pas. Nous ne parlons jamais du Marécageux. C'est un sujet tabou. Gran'ma est très rancunière et elle n'a jamais digéré le fait qu'il refuse catégoriquement de nous accompagner jusqu'au rivage d'Ysmalia.

— Vous non plus, vous ne l'avez pas suivie; et pourtant elle ne vous en voulait pas, puisqu'elle vous a accueillie chez elle plus tard.

— Moi, c'était différent, j'avais quitté la forêt de Wiêryn depuis tellement d'années! Ma vie était à Laltharils, auprès de ta mère. J'étais d'ailleurs à ses côtés lorsque nous avons été enlevées et conduites à Rhasgarrok.

— Je vois, mais votre sœur ne comprenait

pas que le Marécageux refuse de quitter son marais putride?

— Tout à fait. Il prétextait qu'une mission de la plus haute importance l'attendait au cœur des marais de Mornuyn. Tout le monde l'a pris pour un fou, un lâche ou un traître. Moi, je sais à présent qu'il avait raison.

— C'était quoi, cette mission?

— C'était toi, Sylnodel!

Luna ferma les yeux, émue. Viurna lui baisa la joue avant de refermer doucement la porte. Ce fut Elbion qui la ramena à la réalité en lui léchant la main.

— Viens te coucher. Il est tard.

L'adolescente obtempéra. Elle s'allongea sur le lit en dessous de celui de Kendhal et se blottit sous les couvertures, saisie par le froid qui régnait dans cette pièce.

— Elbion? chuchota-t-elle. Tu ne voudrais pas venir t'allonger à côté de moi?

Comme s'il n'attendait que cela, le loup sauta sur le lit. Sa chaleur réchauffa instantanément l'adolescente, tout en lui rappelant les heures bénies de son enfance. Elle ferma les yeux, prête à se laisser glisser dans l'inconscience du sommeil, quand Elbion lui demanda :

— Les traces de pas sur le sable, c'était toi, n'est-ce pas?

Stupéfaite, Luna se redressa sur un coude, les yeux grands ouverts.

— Ne nie pas, ajouta le loup. J'ai senti ton odeur, j'ai également surpris vos regards chargés de sous-entendus, à Allanéa et à toi, et surtout je t'ai vue rougir lorsque Kendhal a accusé Viurna d'avoir envoyé un espion sur la plage.

— C'est vrai, c'était moi, chuchota Luna à l'oreille de son frère pour que les autres ne puissent pas l'entendre.

— Je ne te juge pas, Luna, je veux juste savoir pourquoi. Pourquoi as-tu pris un tel risque ?

— Allanéa m'a proposé d'aller jeter un coup d'œil sur la plage avant tout le monde. Je n'ai pas pu résister. Mais j'avoue que c'était stupide. Nous avons même entendu le fantôme de Djem chanter. Allanéa semblait complètement sous le charme, mais pas moi. Il y avait dans l'air une odeur de mort atroce. Il m'a fallu la convaincre de prendre la fuite. Nous sommes vite revenues au bateau.

— Tu te rends compte, Luna, si le fantôme vous avait attaquées !

— Tu as raison, Elbion, je ne recommencerai jamais plus, promit-elle en déposant un baiser sur sa truffe humide.

« Oh si, ma petite sœur, tu recommenceras… parce que c'est plus fort que toi ! » songea-t-il avant de fermer les yeux.

Le lendemain, ce fut Viurna qui vint les réveiller. Le soleil était déjà haut dans le ciel et Gran'ma venait de partir cueillir des simples en compagnie d'Alba. La maisonnette sentait bon le lait chaud et le pain frais. Quatre bols fumants les attendaient sur la table et un cinquième se trouvait à même le sol de terre battue pour Elbion.

— Votre sœur est-elle toujours en colère contre nous? demanda Kendhal en s'asseyant sur une des banquettes.

— J'aurais aimé pouvoir vous assurer du contraire, mais, comme je le disais hier soir à Sylnodel, ma sœur est plutôt rancunière. Surtout que la nuit n'a pas été de tout repos…

— Comment ça? s'inquiéta Hoël.

— Le fantôme de Djem est venu rôder près de notre village. Nous l'avons entendu chanter jusqu'à l'aube. D'habitude, il nous laisse en paix. Nous ne l'entendons presque jamais.

— Et Grand'ma pense que c'est à cause de nous? devina Luna.

— Elle croit en effet que vous avez troublé l'âme du défunt et qu'à présent il réclame vengeance.

Devant les mines contrites de ses invités, elle s'empressa d'ajouter:

— Mais, comme souvent, ma sœur dramatise. Ne vous en faites pas, je suis sûre que la nuit prochaine sera plus calme. Alors, qu'avez-vous envie de faire, aujourd'hui ?

Luna faillit répondre qu'elle allait libérer le corps de Djem, mais cela aurait sans doute été perçu comme une provocation. En outre, elle avait promis à Elbion de ne plus prendre de risques inutiles.

— Nous, nous allons retourner au bateau pour prendre des nouvelles des jumeaux, firent Hoël et Allanéa. Peut-être qu'ensuite nous partirons explorer une autre partie de la côte.

— Moi, déclara Kendhal après avoir vidé son bol d'un coup, je resterais bien ici pour visiter votre village et ses environs, si vous êtes d'accord pour nous servir de guide, bien sûr.

Comme Viurna acquiesçait, Luna approuva à son tour cette idée, de même qu'Elbion qui jappa de contentement.

Pendant que les deux avariels regagnaient la crique à tire d'ailes, Luna, Kendhal et Elbion suivirent la sœur du Marécageux à travers les dédales pittoresques de son charmant village. D'un côté, les maisonnettes s'adossaient à la falaise, serrées les unes contre les autres. Sur le côté opposé, de très vieux tilleuls au tronc évidé abritaient de jolies cabanes qui n'étaient pas sans rappeler celle du Marécageux. Luna apprécia cette simplicité, mais les portes en bois et les épais volets à chaque fenêtre n'échappèrent pas à son regard aiguisé. Ces gens-là vivaient dans la peur, c'était flagrant.

Entre chaque arbre s'étalaient des parcelles cultivées bien entretenues. Des treilles où pendaient des grappes de raisin grenat et des poires à la peau dorée protégeaient les tomates, courgettes, carottes et patates douces qui s'épanouissaient dans une débauche de couleurs. Non loin, on entendait des chèvres bêler et des oies cancaner.

— Comme vous pouvez le voir, nous sommes assez bien organisés. En contrebas, au bout du chemin, nous avons défriché quelques champs où nous faisons pousser du seigle et du blé. Le pain que vous avez mangé hier soir et ce matin provenait de nos cultures.

— Vous possédez un moulin? s'étonna Kendhal.

— Oui, derrière la falaise, nous avons construit un moulin au bord d'une petite rivière qui se jette dans la mer. Figurez-vous que nous avons même appris à pêcher, ce qui est un comble pour nous, elfes sylvestres!

— Combien êtes-vous à vivre ici? s'enquit Luna.

— Nous sommes environ trois cents. C'est très peu au regard des colonies entières qui peuplaient autrefois les forêts des terres du Nord. Hélas, les drows nous ont massacrés sans pitié. Ils ont organisé de véritables parties de chasse d'une cruauté sans nom où nous étions abattus comme du gibier. Les survivants ont trouvé refuge au fin fond de la forêt de Wiêryn avant de prendre un jour la décision de s'exiler par-delà la mer.

Tout en songeant aux atrocités provoquées par les drows, Luna admira l'ingéniosité des elfes sylvestres qui avaient su transformer cette jungle sauvage et inhospitalière en havre de paix.

— Avez-vous des contacts avec les humains ? demanda-t-elle.

— Très peu. Le moins possible, à vrai dire, confia-t-elle en ricanant. Nous ne sommes pas vraiment sociables, nous autres, elfes des bois ! Trois fois par an environ, nous nous rendons dans le premier village côtier qui se trouve tout de même à quatre heures d'ici. Nous échangeons nos herbes médicinales, nos potions et nos grigris magiques qu'affectionnent les humains. Nous obtenons en contrepartie des denrées que nous ne pouvons pas produire nous-mêmes.

— Il n'y a jamais eu de heurts entre vous ?

— Jamais. Les humains qui vivent à Ysmalia sont des gens calmes. Ce sont des pêcheurs, des bûcherons ou des paysans. Ils apprécient nos produits, nous apprécions les leurs. Et...

ils sont bien contents que nous nous soyons
installés là.

— Pourquoi ça?

— Ils se disent que, si le fantôme de Djem se
réveille, il aura autre chose que des humains à
se mettre sous la dent!

— Mais c'est horrible, de penser ça! s'offusqua Luna.

— Non, c'est humain, rétorqua simplement
Viurna en haussant les épaules.

Arrivés au bord de la rivière qui alimentait
le moulin et irriguait les champs de céréales,
Luna et Kendhal s'émerveillèrent de la beauté
du paysage.

— Cet endroit est vraiment magnifique!
s'exclama l'elfe doré. Ce que vous avez bâti
en si peu de temps est tout simplement admi-
rable. Je me demandais…

— Oui?

— Croyez-vous que votre chef accepterait
que nous nous installions près de chez vous?

Comme Viurna éclatait de rire, Kendhal
s'empressa d'ajouter:

— Nous nous ferions discrets, je vous
assure. Nous nous installerions un peu plus
loin, cultiverions nos propres champs et
construirions notre propre moulin. Mais nous
pourrions faire du troc et aussi nous entraider

en cas de problème. Vous voyez, ce genre de choses…

— Mais, mon jeune ami, nous n'avons pas de chef! pouffa la vieille elfe. Chacune des décisions qui concernent notre communauté est soumise à un vote. Si la majorité des voix l'emporte, elle est approuvée, sinon nous la rejetons.

— Dans ce cas, croyez-vous que vos amis seraient d'accord?

Viurna grimaça. Sa peau cuivrée se plissa davantage, la faisant ressembler à un morceau d'écorce.

— Avec cette histoire de fantôme et la peur que nous avons tous éprouvée cette nuit en l'entendant chanter, je ne saurais vous dire. Même si, personnellement, rien ne me ferait plus plaisir que de revoir Ambrethil. Cette idée de communauté d'elfes unis me plaît bien. Imaginez un peu, des elfes de lune ou de soleil, des avariels, des océanides et des elfes sylvestres vivant en parfaite harmonie. Quel bonheur!

— Hum, vous n'oublieriez pas les elfes noirs, par hasard? la reprit Luna.

— Ah, heu, oui, bien sûr, les… drows. Mais vous êtes bien certains qu'ils…

— Nous n'avons aucun doute sur leurs intentions, la coupa Kendhal, un brin agacé. Ces elfes font partie de notre communauté. Ce sont nos amis, nos frères, et nous n'irons nulle part sans eux. Même que, nous, nous n'utilisons jamais le terme drows pour les évoquer, nous préférons celui plus neutre d'elfes noirs.

— Je peux le concevoir, admit Viurna. Moi qui ai bien connu Sarkor, je sais que les bons drows existent. Mais pour mes compatriotes il en va autrement. Pour tout vous avouer, les elfes sylvestres ont encore plus peur des drows que des fantômes. Ce n'est pas peu dire !

Luna et Kendhal se dévisagèrent, contrariés. Cet endroit était paradisiaque, mais si la présence des disciples d'Eilistraée posait un problème aux elfes sylvestres, ils n'insisteraient pas et chercheraient une nouvelle terre d'accueil plus loin. Pourtant l'adolescente n'avait pas dit son dernier mot.

— Et si nous tentions de les convaincre en leur présentant Darkhan ? Mon cousin pourrait témoigner de la bonne foi des elfes noirs.

La vieille femme réfléchit un moment avant de hocher la tête avec conviction.

— Pourquoi pas ! De toute façon, on ne risque rien à essayer. Que diriez-vous d'organiser un grand repas demain midi en votre honneur ?

— Formidable ! s'écrièrent en chœur les deux adolescents qui sentaient leurs espoirs renaître.

— Vous savez préparer des tartes aux poires et de la purée de topinambours? interrogea Viurna avec un clin d'œil. Parce que nous allons avoir besoin de main-d'œuvre pour nourrir tout ce petit monde, cornedrouille!

# 12

Le bilan n'était guère réjouissant. Sur les deux mille drows qui habitaient la partie supérieure de Rhasgarrok et qui n'étaient pas partis en campagne militaire, quatre cents seulement avaient survécu aux attaques sanglantes des hommes-rats. Terrés au fin fond de leur maison barricadée, ils attendaient que la faim les achève, sans nul autre espoir que celui de mourir vite. L'arrivée des troupes de matrone Sylnor leur avait offert un salut auquel ils ne croyaient plus. Loin de la juger responsable de l'hécatombe, les survivants l'avaient accueillie en héroïne. Ils avaient ensuite été transférés dans des hôpitaux de fortune où les guérisseurs drows s'étaient occupés de les remettre sur pied.

Pendant qu'on exécutait ses ordres dans ce sens, la jeune matriarche, forte de cette petite victoire, avait réuni son armée. Elle se sentait prête à investir la partie basse de la cité, là où se trouvait entre autres le quartier des nobles. Délivrer les nantis prisonniers du monastère serait sa priorité. Ensuite seulement elle enverrait ses troupes fouiller les quartiers du marché, des souks et du port, ainsi que les bas-fonds de la ville.

Une fois arrivée devant les larges vantaux qui interdisaient l'accès au quartier des nobles, matrone Sylnor s'étonna de les trouver parfaitement intacts. Mais, après tout, c'était logique, puisque les hommes-rats venaient du sous-sol. Ils s'étaient introduits dans ce quartier en passant par des tunnels oubliés. Ils avaient surgi des caves, des égouts et des mines.

La grande prêtresse de Lloth fit un pas, posa ses mains anthracite sur le métal de la même couleur et prononça la formule qui descellerait les portes. Les larges battants s'ouvrirent aussitôt dans un chuintement rocailleux.

— Je veux dix escadrons avec moi! cria-t-elle en empoignant ses cimeterres. Les autres, répartissez-vous en différents bataillons et fouillez chacune des demeures de nos concitoyens. Massacrez sans pitié tous les hommes-rats que vous trouverez!

Dans un même élan, les troupes drows

se lancèrent à l'assaut des parties du vaste domaine des nobles. Suivie de près par Ylaïs et Ethel, matrone Sylnor s'élança en direction du monastère, situé au centre de ce quartier.

Elle ne regretta pas d'avoir demandé à dix escadrons armés jusqu'aux dents de l'accompagner. Sur l'esplanade qui s'étalait au pied des murailles de l'imposant édifice se trouvait une troupe d'hommes-rats. Même si ces créatures hybrides se tenaient debout et portaient des armes et des cotes de cuir cloutées, leur physique tenait plus du rongeur que de l'homme. Leurs membres aux muscles secs et noueux se terminaient par de longues griffes acérées. D'horribles poils bruns recouvraient la totalité de leur peau grisâtre, y compris leur face repoussante. De leur museau pointu dépassaient des incisives jaunies comme celles d'énormes rats. De leurs yeux chafouins émanait une cruauté perverse.

Sous la houlette d'une trentaine d'énergumènes armés de dagues et d'arcs, une centaine d'autres étaient occupés à confectionner des échelles afin de franchir cet ultime obstacle qui se dressait sur leur route. Comme aucune sentinelle drow ne veillait en haut des remparts afin de les prendre pour cible, les hommes-rats travaillaient dans le calme. Certains discutaient, pendant que d'autres sifflotaient des airs joyeux.

Lorsqu'ils levèrent les yeux vers le raz-de-marée drow qui s'abattait sur eux, il était trop tard pour réagir. Les créatures hybrides, mi-hommes, mi-rats, moururent égorgées, poignardées, décapitées ou pulvérisées par les puissants sorts des mages noirs. Pas une n'en réchappa.

Matrone Sylnor n'eut même pas besoin de se transformer en araignée géante pour terrasser ses ennemis. Elle ne se réjouit pas pour autant, consciente qu'il s'agissait seulement de l'acte un. D'autres combats avaient peut-être lieu ailleurs et d'autres hommes-rats arriveraient probablement en renfort. La mère d'Ethel avait parlé de milliers et de milliers de créatures. Ce n'était donc là qu'un échauffement !

La jeune matriarche déverrouilla les portes du monastère. À peine eut-elle pénétré dans la cour intérieure qu'elle fut immédiatement accueillie par une troupe de guerrières ébahies. L'une d'entre elles, une jeune clerc que Sylnor connaissait bien pour avoir fait ses classes avec elle, se jeta à ses pieds.

— Oh, matrone, matrone, quelle joie de vous revoir enfin ! sanglota-t-elle. Vous avez été absente tellement longtemps que nous ne pensions plus jamais vous revoir. Nous avions tellement peur qu'il vous soit arrivé malheur ou que vous nous ayez abandonnées!

La matriarche la toisa avec dédain. Les pleurnicheries la mettaient hors d'elle.

— Cesse de geindre! lui fit-elle sèchement. Pourquoi n'étais-tu pas sur les remparts en train d'exterminer la vermine qui campait à tes pieds?

— Nous ne sommes plus assez nombreuses, expliqua l'autre, larmoyante. Nombre de mes sœurs ont été touchées par des flèches empoisonnées. Leur calvaire et leurs souffrances nous ont un peu... refroidies.

— Tais-toi ou c'est moi qui vais te refroidir, sombre idiote! Un peu plus et ces viles créatures pénétraient dans mon monastère! Mais, maintenant que je suis de retour, je vais mettre fin à ces razzias inacceptables et, grâce à Lloth, nous boirons bientôt dans les crânes de ces misérables le vin de la victoire!

Tous levèrent leurs armes pour célébrer les paroles de leur puissante maîtresse.

— Gloire à Lloth! Gloire à matrone Sylnor! s'exclamèrent les guerrières et les sorciers dans un même ensemble.

L'agitation qui suivit fut générale. Certains escadrons quittèrent le monastère pour prêter main-forte à leurs compagnons qui fouillaient toujours les alentours; d'autres prirent l'initiative de se rendre encore plus bas, vers les marchés et le port, afin de traquer les hommes-rats qui s'y cachaient.

La matriarche, quant à elle, fit un tour dans le monastère, accompagnée de sa garde rapprochée. Elle découvrit de nombreux nobles entassés dans les dortoirs où ils se cachaient, terrifiés. Il s'agissait essentiellement de personnes âgées, de vieilles matrones et d'enfants trop jeunes pour se battre. Bref, de tous ceux qui avaient été jugés inaptes à partir en guerre. Matrone Sylnor veilla à ce qu'on s'occupe correctement d'eux.

Bientôt toute la ville basse résonna de cris intenses : cris de joie de ceux qui retrouvaient leurs parents ou leurs enfants sains et saufs, cris de haine de ceux qui découvraient les cadavres des membres de leur famille, et enfin cris de souffrance des derniers hommes-rats qu'on égorgeait sans pitié.

Au lever du jour, les drows avaient réinvesti l'intégralité de Rhasgarrok. En milieu de journée, les dépouilles des hommes-rats alimentaient déjà les fours des forges. Tandis qu'on soignait les blessés et qu'on sustentait les survivants affaiblis par de longues semaines de jeûne, d'autres drows se chargeaient de nettoyer la ville souillée par les corps empalés qui empestaient et ravivaient d'odieux souvenirs.

Enfin, plusieurs équipes de volontaires se relayèrent pour boucher un maximum de tunnels oubliés dans les caves et les mines, pendant que d'autres fouillaient les égouts à la recherche d'hommes-rats.

Sans s'être vraiment concertés, les drows, quelles que soient leur maison ou leur origine sociale, s'entraidaient et coopéraient avec la plus grande efficacité. Jamais de mémoire d'anciens on n'avait connu une telle entente chez ce peuple réputé pour son individualisme, son égoïsme et sa cruauté. Jamais les drows, de toute leur histoire, n'avaient su faire preuve d'altruisme et d'entraide.

La nuit suivante, chacun put réinvestir sa demeure et dormir d'un sommeil bien mérité. Toutefois, les drows restaient méfiants. Ils savaient que les hommes-rats feraient de nouvelles tentatives d'invasion avant d'abandonner un garde-manger aussi richement pourvu. Des sentinelles furent désignées dans chaque quartier, notamment aux abords des égouts, pour monter la garde, effectuer des rondes et sonner l'alerte en cas d'attaque.

Matrone Sylnor était épuisée. Efficacement secondée par Ylaïs et Thémys, elle avait passé sa journée à essayer de comprendre quelle tragédie s'était jouée dans ces murs. Les plus vaillants des réfugiés ainsi que les clercs et les novices avaient témoigné de l'invasion des hommes-rats. Leurs récits mettaient en évidence la sournoiserie de ces mécréants dont les vols insidieux étaient tout d'abord passés inaperçus. Puis les premiers crimes avaient eu lieu et une lutte acharnée s'était engagée, mais, à cause de leur infériorité numérique, les drows avaient rapidement été mis en déroute. Ils n'avaient dû leur salut qu'aux remparts infranchissables du monastère. De là-haut, ils pouvaient se défendre sans subir trop de pertes. Mais les attaques répétées avaient fini par avoir raison des assiégés. Nombreuses avaient été les clercs à périr après une longue agonie, perforées par les flèches empoisonnées des hommes-rats.

La matriarche qui savait pourtant le sous-sol du monastère truffé de souterrains et de galeries secrètes avait eu grand peine à cacher son étonnement. Pourquoi leurs ennemis n'avaient-ils pas utilisé ce réseau providentiel pour envahir son domaine? Une seule personne pourrait sans doute répondre à cette question, la déesse araignée en personne.

Sylnor ne rêvait que d'une chose, retrouver son grand lit et s'y blottir pour évacuer la fatigue accumulée ces derniers jours. Mais une ultime épreuve l'attendait. Il lui fallait descendre dans sa chapelle privée pour s'entretenir avec Lloth.

Il y avait déjà trop longtemps qu'elle était restée sans nouvelles de la déesse; elle avait des tas de questions à lui poser.

Arrivée dans l'antichambre de sa chapelle privée, elle hésita à ôter sa cotte de mailles souillée du sang de ces maudits hommes-rats. Elle aurait dû passer par ses appartements, prendre un bain et revêtir des vêtements propres. Elle soupira de lassitude et poussa la porte de la chapelle. Tant pis si Lloth s'offusquait de sa mise, Sylnor était une guerrière.

L'obscurité totale qui l'accueillit la soulagea pourtant. Enveloppée de ce linceul de ténèbres, elle s'avança, droite et digne, et s'agenouilla devant l'imposante statue de la déesse. L'araignée de marbre ne broncha pas; elle attendait certainement que sa protégée s'exprime en premier. Après un temps de silence et de réflexion, la jeune fille finit par oser:

— Je vous souhaite le bonsoir, ô vénérée déesse! murmura-t-elle. Il me tardait de communiquer enfin avec vous. Nos échanges m'ont cruellement manqué.

Comme Lloth persistait dans son silence, Sylnor marqua un temps d'hésitation avant de reprendre.

— Vous serez sans doute heureuse de savoir que j'ai accompli ma mission, divine maîtresse. Laltharils n'est plus qu'un tas de cendres. J'ai traqué nos ennemis jusqu'à Naak'Mur. Ils ont certes fui par la mer, mais j'ai appris de source sûre que leurs navires avaient fait naufrage. Luna est morte noyée, ainsi que ma mère et tous leurs amis. Un seul navire n'a pas été emporté par la tempête et je sais que ses passagers ont été vendus à de repoussantes créatures marines, à qui ils n'échapperont certainement pas. Nous n'entendrons plus jamais parler des elfes de la surface. Grâce à moi, les terres du Nord sont enfin débarrassées de toutes ces ordures. Ce territoire est le nôtre, désormais, et les humains du sud ne risquent pas de venir nous y chercher des noises; la forteresse que j'ai rebaptisée Lloth'Mur pour votre plus grande gloire en protège l'accès.

Déconcertée par le mutisme de la statue, Sylnor releva la tête pour fixer les yeux écarlates de l'araignée.

— Je vous en supplie, Votre Grandeur, pourquoi m'ignorez-vous ainsi? Vous aurais-je déçue? Me suis-je absentée trop longtemps? Me reprochez-vous d'avoir laissé une partie de mon peuple sans protection? Croyez bien que je regrette tous ces morts, mais comment aurais-je pu savoir que des hommes-rats avaient envahi Rhasgarrok pour s'en prendre aux drows les plus faibles? Je devine que vous m'en voulez, que vous êtes en colère…

— Pourquoi te reprocherais-je quelque chose dont je suis responsable ! fit soudain la déesse d'une voix amusée.

Sylnor sursauta, mais elle n'aurait su dire si c'était d'entendre Lloth ou de comprendre ce que sous-entendaient ses propos qui la déroutait le plus.

— Que… que voulez-vous dire ?

— Tu as parfaitement compris ! reprit la divinité, sans rire cette fois. C'est moi qui ai fauté en permettant aux hommes-rats de s'introduire à Rhasgarrok.

— Hein ! Mais pourquoi ? s'écria l'adolescente, offusquée autant qu'horrifiée. Vous vouliez me punir de m'être absentée aussi longtemps et vous avez…

— Cesse donc de t'incriminer, Sylnor, et essaie de voir un peu plus loin que le bout de ton nez ! Si j'ai voulu cette hécatombe, c'était pour ton bien.

Estomaquée, la jeune fille faillit s'étrangler.

— Pour mon bien ? Vous voulez rire, ou quoi ? Vous croyez que j'ai pris plaisir à découvrir les corps suppliciés de mes compatriotes restés à nous attendre ? Vous croyez que j'ai dansé de joie devant leur cadavre à moitié dévoré ?

— Arrête un peu de te plaindre et réfléchis deux minutes ! la coupa la déesse, excédée.

185

Aurais-tu préféré rentrer dans une Rhasgarrok en pleine révolte et te retrouver confrontée à une nouvelle guerre civile ? Aurais-tu aimé voir les anciennes matrones se liguer contre toi et investir ton monastère ?

Comme Sylnor restait interdite, Lloth continua :

— Si je n'avais pas envoyé les hommes-rats, c'est ce qui serait arrivé, crois-moi ! Toi et ton armée étiez à peine partis que ces vieilles oies pleines de rancœur commençaient déjà à fomenter des complots contre toi. Les anciennes adeptes de Zesstra se regroupaient pour ourdir des plans diaboliques afin de s'emparer du monastère. Je les ai laissées un moment croire qu'elles pourraient agir en toute impunité, mais, quand la menace est devenue réelle, j'ai trouvé un moyen de faire diversion.

— En affamant les hommes-rats…

— Tu vois que tu comprends vite, finalement ! Ces idiots n'ont pas tardé à investir nos greniers pour piller nos réserves. Mon plan a fonctionné à merveille. Après s'être accusés les uns les autres, les drows ont fini par rassembler leurs forces et s'entraider pour lutter contre l'envahisseur. Les velléités de coup d'État des vieilles peaux ont vite été reléguées au second plan. Mon peuple s'est serré les coudes. Ensemble, les drows ont fait front !

186

— Et ensemble ils sont morts par centaines ! cracha Sylnor, remontée contre l'initiative malheureuse de la déesse. Ne me dites pas que cela aussi faisait partie de votre plan ! Que vous aviez prévu que les hommes-rats dévoreraient les drows !

— Il n'existe pas de grandes idées sans grandes pertes ! déclara Lloth avec emphase. Et que valent quelques vies au regard de la paix qui règne aujourd'hui à Rhasgarrok ? Tu remarqueras que j'avais pris mes précautions en rendant le monastère inviolable. Ainsi, les drows ont pu venir y trouver refuge et, par la même occasion, louer ma miséricorde !

Sylnor resta abasourdie devant tant de mauvaise foi.

— Votre miséricorde ? Que ne faut-il pas entendre ! Depuis quand la cruelle Lloth, la déesse sanguinaire du peuple drow, est-elle miséricordieuse ?

— De quoi te plains-tu, petite ingrate ! la fustigea la statue. Grâce à moi, tu arrives dans une cité qui t'acclame et te considère comme sa libératrice. Chacun t'est reconnaissant de l'avoir délivré. Par ailleurs, admets que jamais les drows n'ont été aussi unis. N'est-ce pas un cadeau inespéré, que je t'offre ?

Sylnor avait une réplique cinglante au bord des lèvres, mais Ylaïs entra en trombe dans la chapelle. Elle se précipita vers sa maîtresse, affolée.

— Votre Grâce, vous devez remonter tout de suite! Les hommes-rats sont de retour! Ils nous attaquent, et cette fois ils sont des milliers!

Déjà debout, la jeune matriarche se retourna vers l'impassible statue.

— Ça aussi, c'est un cadeau inespéré?

Sans attendre de réponse, elle quitta la chapelle, pleine de fureur, en claquant la porte.

Dans son antre, Lloth serrait les poings de rage. Sylnor avait raison d'être en colère contre elle. La déesse avait été contrainte de mentir à sa protégée pour ne pas perdre la face, mais, dans son for intérieur, elle pouvait bien se l'avouer, l'invasion des hommes-rats était une véritable catastrophe.

En réalité, jamais elle n'avait pris l'initiative d'affamer ces odieuses créatures comme elle l'avait fait croire à Sylnor. Elle avait assisté impuissante à l'invasion de Rhasgarrok et au massacre de son peuple. Elle n'avait rien pu faire pour l'empêcher, car, sans Sylnor à ses côtés, sa puissance était restée muette, comme si ses pouvoirs s'étaient évaporés avec l'éloignement de sa prêtresse.

La déesse araignée avait honte, honte de n'avoir pas su protéger sa cité et les drows, honte d'avoir dû inventer des mensonges pour couvrir sa propre faiblesse. Mais, maintenant que Sylnor était là, l'espoir était de nouveau permis. Toutes les deux, elles allaient unir leurs forces et vaincre leur ennemi.

# 13

L'annonce d'un grand repas en compagnie des elfes venus de la mer se répandit comme une traînée de poudre parmi la communauté des elfes sylvestres. Chacun se réjouit d'un tel événement et tous s'activèrent pour préparer le banquet. Luna passa le restant de la journée en compagnie d'Alba à cueillir poires et pommes pour réaliser de belles tartes, ainsi que des gâteaux fondants dégoulinants de miel. Kendhal, quant à lui, retourna au moulin pour aider le meunier. Le boulanger aurait en effet besoin de beaucoup de farine pour confectionner de petits pains pour tout le monde.

En fin d'après-midi, Hoël et Allanéa, accompagnés de Thyl et de Sylmarils, leur rendirent visite; ils furent étonnés de trouver le village dans une telle effervescence. Luna s'empressa de leur annoncer qu'un repas aurait lieu en leur honneur le lendemain midi. L'idée les séduisit immédiatement et la princesse océanide décida de retourner au bateau chercher le produit de leur pêche. L'eau était tellement poissonneuse que Kern et Gabor n'avaient eu aucun mal à reconstituer leurs réserves; ils avaient même trouvé de beaux crabes qui les régaleraient tous.

Les avariels profitèrent donc des dernières heures de soleil pour faire des allers et retours, les bras chargés de sacs de jute remplis de denrées marines. Luna et Sylmarils, aidées d'une dizaine d'elfes sylvestres, vidèrent les poissons et levèrent les filets pour les mettre à fumer toute la nuit au-dessus d'un grand feu. Fours et fourneaux ne désemplissaient pas et déjà de délicieuses odeurs montaient d'un peu partout.

À la tombée de la nuit, Hoël et Allanéa s'en retournèrent au bateau. Ils s'estimaient plus en sûreté là-bas, au contraire de Thyl et de Sylmarils qui choisirent de rester au village en compagnie de Luna et de Kendhal. Il fallait plus que des histoires de fantômes pour les effrayer.

Dans la maisonnette de Gran'ma, ils passèrent une agréable soirée, animée par les récits épiques de Sylmarils pour le plus grand bonheur de la petite Alba, friande d'histoires fantastiques. L'océanide raconta les découvertes de ses cousins, fascinés par la richesse et la beauté des fonds sous-marins d'Ysmalia.

— Kern a mis la main sur un champ de corail de toute beauté, s'enflamma-t-elle. Je l'ai accompagné ce matin et je dois avouer que je n'avais jamais vu de telles merveilles. Quelles couleurs éclatantes! Quelles formes stupéfiantes! Lorsque mes compatriotes verront cela, ils n'en croiront pas leurs yeux.

Luna sentit son cœur se gonfler. Ainsi, même Sylmarils envisageait de s'installer là.

— Vous savez, poursuivit la jeune femme, Gabor est sorti de la crique pour s'aventurer le long de la côte ouest et vous ne devinerez jamais quoi… Il a découvert l'épave d'un galion. Elle est devenue une résidence de choix pour tous les poissons qui pullulent dans ces eaux cristallines, mais elle est plutôt bien conservée. Dans les cales, des tonneaux de vin attendent d'être remontés et des coffres entiers débordent de vaisselle en porcelaine. C'est un trésor inestimable!

— Tu l'as vue, toi? s'enquit Alba, émerveillée.

— Pas encore, mais j'irai sans doute la visiter demain ou après-demain.

— Je pourrais venir avec toi? S'il te plaît!

Sylmarils éclata de rire devant tant de candeur.

— Mais, ma puce, c'est impossible. Tu ne peux pas respirer sous l'eau…

— J'apprendrai! déclara l'enfant, plus déterminée que jamais.

— Cela ne s'apprend pas, tenta d'expliquer Luna. Sylmarils est une océanide; tout son corps est fait pour vivre sous l'eau. Regarde ses mains, elles sont palmées. C'est pour lui permettre de nager plus vite. Et, même si cela ne se voit pas, elle possède des branchies qui lui permettent de respirer dans la mer.

La petite elfe croisa les bras, la mine renfrognée, et tous éclatèrent de rire. Soudain un violent coup retentit contre la porte barricadée. Aussitôt, les rires se turent et les visages se fermèrent. Elbion se campa sur ses pattes, les babines retroussées et le poil hérissé.

Gran'ma se leva.

— File te mettre à l'abri! souffla-t-elle à Alba en indiquant la chambre troglodyte.

La fillette allait protester, mais un autre coup encore plus fort la fit détaler comme un lapin. La vieille elfe sylvestre s'approcha alors lentement de la porte. Kendhal la suivit, sur le qui-vive. Luna se tenait également sur ses gardes, prête à faire appel à son pouvoir, tandis que Thyl armait déjà son arc.

— Qui est là? demanda Gran'ma d'une voix mal assurée.

En guise de réponse, quelqu'un se mit à tambouriner furieusement contre les volets. Gran'ma blêmit. Elle devina qu'il ne s'agissait pas d'un elfe sylvestre. Tout à coup les murs de la pièce vibrèrent et tremblèrent, comme si une force supérieure ou un géant en colère secouait la maisonnette pour tenter de l'arracher à ses fondations.

— Elle ne tiendra pas longtemps ! s'inquiéta Viurna. Allons tous nous réfugier avec Alba !

Elle poussa Sylmarils vers la pièce creusée dans la roche. Thyl et Elbion s'empressèrent de les suivre.

— Moi, je reste, rétorqua Luna en se plantant devant la porte. Si c'est le fantôme de Djem, je vais lui réserver un accueil qu'il n'est pas prêt d'oublier !

— Tu ne peux rien contre lui ! tempêta Gran'ma. Des siècles de souffrance animent son âme damnée. Quels que soient tes pouvoirs, ce démon est plus fort que toi. Il t'anéantira.

La frayeur de la vieille femme n'était pas feinte. Les yeux exorbités et la bouche tordue, elle semblait prête à céder à la panique. Kendhal jugea qu'il fallait lui faire confiance.

— Viens, Luna, fit-il en l'entraînant de force. Inutile de mettre ta vie en danger. Même Elbion est parti se mettre à l'abri. À trop vouloir jouer les héroïnes, tu risques de tout perdre. Et moi… je ne veux pas te perdre !

Un choc sourd retomba tout à coup sur le toit, faisant craquer les poutres. On aurait cru qu'un fou furieux sautait à pieds joints sur la toiture pour la faire céder. Une poussière grise se mit à tomber, opacifiant la pièce. Ce fut alors qu'un rire fusa dans la maisonnette éprouvée, un rire sans joie, cruel, aussi perçant qu'un éclair de glace, qui pétrifia les deux adolescents.

Les yeux gris de Luna s'accrochèrent désespérément aux iris d'ambre de Kendhal. Le jeune homme s'arracha à sa terreur, entraîna son amie jusqu'à la pièce troglodyte et claqua violemment la porte métallique derrière lui.

— Il était temps ! souffla-t-il.

Comme pour lui donner raison, de l'autre côté de la porte en fer, les coups redoublèrent d'intensité, tantôt violents et rapides, tantôt sourds et lents. On entendait le bois grincer de souffrance, gémir de douleur. Le rire sardonique s'était mué en une plainte lancinante, presque obsédante. La sarabande dura longtemps, très longtemps.

Soudain, il n'y eut plus rien. Les coups cessèrent. Le silence revint, chargé d'angoisse et de questions. Le fantôme de Djem était-il parti ? Avait-il détruit la maison ? Allait-il revenir, ou persécuter d'autres elfes sylvestres ?

Toutefois Viurna et Gran'ma n'avaient pas attendu la fin de la manifestation. Chacune de leur côté, elles avaient parcouru le réseau de galeries secrètes pour prévenir leurs amis et leur enjoindre de se mettre à l'abri.

Dans la chambre, sur un des lits superposés, Alba sanglotait en silence contre le flanc ivoire d'Elbion. Luna les regarda avec un pincement au cœur, en se disant que, il n'y avait pas si longtemps, c'était elle que le grand loup venait consoler. Alors seulement elle nota à quel point son frère avait changé. Elbion lui parut soudain plus maigre, plus faible, plus vieux. Elle tiqua en se demandant pourquoi cela ne lui sautait aux yeux que maintenant. Sans doute parce que, pour la première fois, elle le voyait de l'extérieur, tel qu'il était vraiment. Une vague de tristesse la submergea.

— Tu crois vraiment que c'était le prince Djem? lui chuchota Kendhal.

Toute à ses pensées, Luna sursauta.

— Je… je n'en sais rien. Gran'ma semble le croire en tout cas. Rappelle-toi, elle nous a bien dit que, la nuit dernière, le fantôme est venu rôder dans le village.

— Oui, mais il n'avait fait que chanter. Là, si c'est bien lui, il est passé à la vitesse supérieure. Elbion n'a rien senti de spécial?

Luna haussa les épaules et se tourna pour

l'interroger, mais le loup s'était assoupi. Le pouce dans la bouche, Alba ronflait doucement à ses côtés.

— On le lui demandera demain, fit-elle à voix basse. En attendant, nous ferions mieux d'aller voir comment s'en sortent les autres elfes sylvestres. Qui sait, ils ont peut-être besoin de notre aide.

Mais à peine posa-t-elle sa main sur l'une des portes latérales qui s'ouvraient sur les galeries troglodytes que Viurna en jaillit, agitée de tics nerveux.

— Rassurez-vous! les tranquillisa-t-elle en découvrant leur mine soucieuse. Tout le monde au village a eu la même réaction que nous. Nos amis se sont réfugiés à temps et personne n'a été blessé, heureusement. Nous allons passer la nuit ici.

— Oui, et demain nous…

— Demain sera un autre jour, ma petite Sylnodel, la coupa la vieille femme. Allons dormir, maintenant!

Luna faillit rétorquer qu'elle n'avait pas sommeil, mais elle se ravisa pour ne pas paraître impolie. De mauvaise grâce, elle s'allongea sur l'un des lits; ses compagnons l'imitèrent, mais pas Viurna. L'elfe sylvestre s'assit en tailleur au milieu de la pièce et se mit à chantonner tout bas. On aurait dit une ancienne berceuse, fredonnée dans une langue inconnue. Si au début, la lente mélopée agaça Luna qui tentait de faire le point sur la situation, elle finit toutefois par se laisser bercer. Peu à peu, son esprit lâcha prise et, comme une fumée délicate et légère, ses pensées se diluèrent dans les limbes de l'inconscience. Elle dormit d'un sommeil lourd et profond, sans rêves ni cauchemars.

À l'aube, pourtant, une très mauvaise surprise les attendait.

La maison de Gran'ma n'était plus qu'un tas de cendres fumantes. Était-ce les poutres en tombant qui avaient accidentellement éparpillé les braises de la cheminée et déclenché un incendie? Ou bien Djem avait-il délibérément mis le feu à la maisonnette par vengeance?

Si le doute effleurait Luna, les elfes sylvestres, eux, n'avaient aucune autre explication possible. Agglutinés en groupes épars, ils n'avaient qu'un seul nom sur les lèvres, Djem. Pour eux, le fantôme du prince était l'unique responsable de ce chaos. Il était revenu les hanter et, cette fois, il ne s'était pas contenté de rôder et de chanter. Il les avait attaqués et il reviendrait sans doute tant qu'il n'aurait pas trouvé ce qu'il cherchait. Cette nuit, il avait frappé aux portes des maisons et incendié celle de Gran'ma. Qui pouvait savoir ce qu'il ferait la nuit suivante?

La tension parmi les habitants du village était palpable. Plus personne n'avait envie de s'activer à préparer le banquet, d'autant moins que certains potagers avaient été complètement saccagés et que de nombreux sacs de farines éventrés répandaient à présent leur précieux contenu sur le sol. Les elfes étaient consternés, effrayés, mais également en colère.

Luna et ses amis constataient les dégâts, sincèrement peinés, quand Gran'ma quitta un des groupes de villageois pour venir les trouver. Son visage crispé n'annonçait rien de bon.

— Il vaudrait mieux que vous partiez, décréta-t-elle sans autre explication.

— Mais… et le repas? s'écria Luna.

— Vous croyez vraiment que nous avons le cœur à faire la fête?

Luna resta interdite, à court de mots, mais Kendhal vint à son secours.

— Je comprends votre désarroi, mais nous allons vous aider à tout remettre en état. Les jardins, votre maison, nous allons tout reconstruire!

— Bien sûr! renchérit Sylmarils. Mes cousins sont costauds, ils vont s'occuper de…

— Il ne s'agit pas de ça! gronda Gran'ma.

— Mais de quoi, alors? s'étonna Luna.

— Tout le monde ici pense que vous avez attiré le mauvais œil sur notre village! Si le prince maudit nous a attaqués, c'est à cause de vous !

À ces mots, Viurna, rouge de fureur, bondit sur sa sœur.

— N'as-tu pas honte de proférer de telles inepties ? Sylnodel et ses amis ne sont en rien responsables de ce drame !

— Alors, comment expliques-tu que le fantôme de Djem ne nous ait jamais embêtés en plus de vingt-cinq ans et que, le jour où ces étrangers posent le pied sur notre rivage, le démon se manifeste avec autant de violence ? Tu crois peut-être que c'est un hasard, s'il a brûlé ma maison ? Le prince maudit ne veut pas de ces gens sur ses terres !

— Ce que tu dis est stupide ! grinça Viurna entre ses dents, blême de honte.

— Non, ce n'est pas stupide et tu le sais très bien ! En pénétrant dans la citadelle, ces étrangers ont réveillé l'esprit démoniaque qui la hante et, à présent, il est en colère. Avant, il se contentait de rôder au loin, mais, maintenant qu'il est furieux, que va-t-il faire ? Saccager notre village ? Incendier nos maisons, détruire nos récoltes, souiller notre puits et nous infecter comme il l'a fait jadis pour anéantir sa sœur et ses gens ? Tu veux que l'histoire se répète et que Djem se venge sur nous, c'est ça ?

Viurna fut tellement abasourdie par la

violence des paroles de sa sœur qu'elle en resta muette. Mais Kendhal avait déjà pris sa décision.

— Ne vous inquiétez pas, Gran'ma, annonça-t-il avec froideur, nous partons. Si nous sommes réellement responsables de cette tragédie et du courroux du fantôme, nous ne resterons pas une seule minute de plus à Ysmalia. Veuillez accepter nos sincères excuses, ainsi que nos adieux.

Sur ce, il tourna les talons, très digne. Thyl et Sylmarils se dévisagèrent, hésitants, puis emboîtèrent le pas du jeune roi.

— Tu viens, Luna? fit l'océanide en lui prenant la main.

Les yeux pleins de larmes, l'adolescente serrait les poings de rage. Cela ne pouvait pas se terminer ainsi. C'était trop bête. Leur nouvelle vie était à Ysmalia, elle le sentait au fond d'elle. Cette terre était faite pour eux, et ce n'était pas un fantôme qui allait remettre ses projets en question. Il fallait qu'elle tente quelque chose, n'importe quoi. Ce fut Viurna qui lui apporta inopinément une solution.

— Partez devant, fit la vieille elfe sylvestre à Sylmarils. Je raccompagnerai moi-même Sylnodel et Elbion jusqu'à la crique. J'ai… des choses à voir avec eux.

Kendhal fit grincer sa mâchoire, soucieux.

L'idée de laisser sa bien-aimée derrière lui ne lui plaisait absolument pas. Pourtant la voix de Luna résonna soudain dans sa tête :

« Ne t'inquiète pas. J'ai confiance en Viurna et je ne serai pas longue, promis. »

Il lui adressa un signe de tête et s'engagea sur le sentier forestier.

Luna se retourna vers les elfes sylvestres qui assistaient, silencieux, à la scène. Leur animosité à son égard était visible. Une onde de remords la submergea alors. Mais Viurna ne se souciait apparemment guère de la rancune de ses compatriotes. Ostensiblement, elle mit sa main autour des épaules de la princesse et les toisa avec colère.

— Vous devriez avoir honte ! Bientôt, vous regretterez vos paroles, je vous en fais le serment !

Elle entraîna Luna et Elbion vers la forêt, mais Alba échappa à la vigilance de sa grand-mère pour courir derrière elle.

— Attends-moi, Gran'ta ! cria-t-elle. Je viens avec vous !

— Ah non, pas question, jeune fille ! gronda Viurna. Luna et moi avons à discuter de choses de grandes.

— Mais je suis grande, moi aussi ! protesta l'enfant.

— Pas encore assez, je le crains. Et je doute

que ta grand-mère soit d'accord pour que tu quittes le village. Après ce qui s'est produit cette nuit, elle tiendra certainement à te garder auprès d'elle. Allez, sois mignonne, Alba, retourne trouver Gran'ma. Je serai bientôt de retour.

— Mais… mais je ne vais plus jamais revoir Elbion? sanglota la fillette.

Luna haussa un sourcil. Elle faillit rétorquer que c'était son loup et pas le sien, mais elle jugea aussitôt sa réaction puérile. Elle fit un pas vers Alba et s'accroupit devant elle.

— Ne pleure pas, pistounette, nous reviendrons, lui glissa-t-elle au creux de l'oreille en l'embrassant.

Luna et Viurna marchaient depuis un moment en silence à travers la dense végétation forestière quand la vieille elfe décida de faire une pause au beau milieu d'une clairière entourée de bambous. Elle s'assit sur une souche en soupirant et fixa Elbion avec intensité avant de se tourner à nouveau vers Luna.

— Sylnodel, je crois que ton loup essaie de me dire quelque chose. Il a commencé à me tourner autour hier après-midi, mais je n'arrivais pas à comprendre ce qu'il voulait. Je comptais persévérer ce matin, mais les événements de cette nuit ont un peu bousculé les choses. Tu m'as bien dit que tu pouvais communiquer avec lui, n'est-ce pas?

Luna ne cacha pas son étonnement, mais elle hocha tout de même la tête.

— Tu pourrais lui demander ce qu'il attend de moi?

Inquiète, Luna se tourna vers son frère. Il s'était allongé, la tête posée sur l'herbe, les yeux mi-clos. Il semblait plus vieux et fatigué que jamais. Elle s'agenouilla à ses côtés.

— Eh bien! Elbion, que se passe-t-il?

Mais, au lieu de lui répondre, le loup tourna la tête de l'autre côté. Luna chercha le regard de Viurna. L'elfe sylvestre quitta son tronc pour venir s'asseoir à côté de l'adolescente.

— Êtes-vous sûre qu'il essayait vraiment de vous dire quelque chose? murmura Luna qui sentait monter en elle une sourde angoisse.

— Hier, tu étais tellement occupée à préparer la fête que tu n'as pas fait attention, mais ton frère de lait ne m'a pas quittée d'une semelle. Partout où j'allais, il m'accompagnait en dardant son regard doré dans le mien. On aurait dit qu'il essayait de me passer un message, quelque chose d'important, vu son insistance. Mais, malgré ses efforts, je ne suis pas parvenue à déchiffrer ses aboiements et ses mimiques.

— Que voulais-tu, Elbion? fit Luna en caressant le museau de son frère. Parle, enfin!

Le loup finit par lever vers elle des yeux rougis.

— Je vais mourir, Luna.

# 14

Luna suffoqua. Son cœur se déchira et son âme explosa en mille éclats de souffrance. Le choc fut tel qu'elle crut un instant défaillir et perdre connaissance, mais la violence de la douleur la fit réagir.

— Non! Tu ne peux pas mourir, Elbion! Tu dis n'importe quoi!

— Hélas! ma Luna, fit le loup d'une voix ténue. J'ai déjà fait plus que mon temps. En règle générale, les loups ne vivent jamais aussi vieux.

— Mais toi, si! cria Luna en laissant les larmes glisser sur ses joues pâles. Toi, tu es... fort, tu es brave, tu es courageux, et... tu es mon loup! Tu ne peux pas mourir. Je t'aime! Je t'aime trop pour te quitter.

Comme l'animal semblait épuisé, Luna l'enlaça en sanglotant.

— Pense à Scylla. Pense à tes petits qui t'attendent à Océanys. Tu n'as pas le droit de partir sans les avoir revus une dernière fois.

— Scylla savait que ma fin était proche. Elle savait que nos au revoir seraient sans doute des adieux. Elle s'y était préparée, car elle connaissait mon secret.

— Ton secret? sursauta Luna en essuyant ses yeux. Quel secret?

Bien entendu, Viurna n'entendait que les propos de Luna, mais elle aussi avait dressé l'oreille.

— Je crois que, lorsqu'il t'a confiée à ma mère, le Marécageux ne se doutait pas à quel point nous serions proches, toi et moi, reprit Elbion. Au fil des années, pourtant, il a compris que notre lien fraternel s'était mué en une amitié fusionnelle. Je n'étais pas seulement ton frère, mais aussi ton ami, ton complice, ton confident, ton protecteur. Tu avais besoin de moi. Mais les loups meurent bien plus jeunes que les elfes, tu le sais. Notre espérance de vie dépasse rarement les treize ou quatorze ans.

— Oui, je sais tout ça, mais tu vas en avoir seize et je n'ai jamais eu l'impression que tu allais mal.

— C'est parce que le Marécageux me préparait en secret une sorte d'élixir, une boisson à base de plantes et je ne sais quels autres ingrédients. Une fois par semaine, je me rendais chez lui, à Mornuyn comme à Ravenstein, et je prenais ce breuvage destiné à allonger ma vie.

Luna était atterrée. Elle ne s'était jamais doutée ni aperçue de quoi que ce soit.

— Pourquoi ne m'as-tu rien dit? bredouilla-t-elle.

— Je ne voulais pas te faire souffrir. De toute façon, tant que le Marécageux était là pour me préparer cette potion, il ne servait à rien de t'inquiéter.

D'un coup, l'adolescente comprit.

— Mais, depuis qu'il a disparu, tu ne prends plus ton élixir! C'est ça? Tu vas mourir parce que le Marécageux ne peut plus rallonger ta vie?

— En effet... Avant qu'on prenne la mer, lorsque je suis retourné dans le tunnel de la falaise pour le chercher et que je ne l'ai pas trouvé, j'ai compris que ma vie ne serait plus jamais la même. Au début, sur le bateau, je me sentais toujours aussi bien et j'ai repris espoir. Je pensais que, finalement, je pourrais peut-être me passer de sa potion. Mais après l'épreuve du naufrage j'ai senti mes forces décliner. Semaine après semaine, je me suis mis à vieillir et j'ai dû mettre Scylla au courant.

Luna hocha la tête en reniflant.

— Je comprends tout, maintenant. Tu espérais qu'en venant à Ysmalia on trouverait Viurna et qu'elle pourrait t'aider comme son frère l'a fait?

— Oui, confia Elbion dans un souffle. Et, si Viurna ne peut rien pour moi, au moins Scylla gardera un bon souvenir du père de ses petits. Je ne voulais pas qu'elle me voie faible et moribond.

— Mais moi non plus, je ne veux pas te voir mourir! s'exclama Luna avant de se tourner vers la vieille elfe sylvestre.

Un étrange sourire illuminait son visage parcheminé.

— Si je n'ai pas tout saisi de votre conversation, je pense cependant avoir compris pourquoi ton loup me tournait autour. Il voudrait que je prenne le relais de mon frère en lui confectionnant une décoction de vitalité, n'est-ce pas?

— Vous sauriez faire ça?

Viurna dodelina de la tête.

— Mon grand-père était un apothicaire très renommé. Sa réputation s'étendait par-delà les montagnes Rousses et on venait de très loin quérir son aide. Il a transmis ses formules à son fils unique qui nous les a transmises à son tour. Gran'ma, le Marécageux et moi détenons de grands secrets. Et je crois bien que je peux faire quelque chose pour ton loup.

Le cœur de Luna fit une embardée dans sa poitrine.

— Tu as entendu ça, Elbion? Viurna va pouvoir te sauver.

Le loup releva lentement la tête. Ses yeux brillaient d'un éclat nouveau.

— Toi, tu vas venir avec moi, fit la vieille elfe en s'adressant au loup. Nous n'allons pas retourner au village, mais je connais une grotte où tu pourras te cacher le temps que je prépare la potion.

— Je vous accompagne, s'écria Luna.

— Non, ma belle. Toi, tu vas regagner la plage afin de mettre tes amis au courant de la situation. Vous devrez m'attendre sagement dans la crique, car réunir les ingrédients et préparer le breuvage me prendra certainement deux ou trois jours.

— Nous vous attendrons le temps qu'il faudra. Du moment que vous me ramenez Elbion en bonne santé…

— Je ferai tout ce qui est en mon pouvoir, sois-en sûre!

— Je le sais, murmura l'adolescente. J'ai confiance en vous.

Les yeux humides, elle étreignit son loup. Ses mains caressèrent longuement la fourrure ivoire, plus rêche et clairsemée qu'autrefois, mais toujours aussi rassurante et apaisante.

— Je t'aime, Elbion. Reviens-moi vite.

Pour toute réponse, le loup lécha le visage de sa sœur et se releva lentement. Il se tourna vers Viurna. Dans son regard doré se lisaient détermination et courage. Il était prêt. Pourtant, quand il se mit en marche derrière la vieille femme, son état de faiblesse sauta aux yeux de Luna.

Elle le regarda s'éloigner avec un pincement au cœur. Comment avait-elle pu être aveugle à ce point? C'était son loup, son ami, son frère, elle aurait dû se rendre compte qu'il n'allait pas bien. Elle se sentait à la fois honteuse et pleine de remords. Honteuse de n'avoir rien remarqué, et désolée de ne pas s'être davantage occupée de lui. Ces derniers temps, elle n'avait eu qu'une idée en tête, trouver Ysmalia. Rien d'autre n'avait compté. Et pourtant, que valait une nouvelle terre si son loup n'était plus là pour y vivre avec elle?

Son esprit se tourna alors vers Eilistraée. Elle ferma les yeux pour adresser une muette prière à la déesse qui l'avait toujours aidée, même dans les moments les plus difficiles. Toute à sa ferveur, elle ne vit pas le temps passer. Elle s'abîma dans des supplices désespérées pour que son frère de lait s'en sorte.

Lorsqu'elle rouvrit enfin les yeux, Elbion et Viurna avaient disparu depuis longtemps. Elle soupira, mais cette prière l'avait apaisée. Elle avait foi en sa protectrice et en Viurna. À elles deux, elles sauveraient son frère.

Luna reprit le chemin de la crique d'un bon pas. Soudain, alors qu'elle n'y pensait plus, la violente réaction des elfes sylvestres à leur égard lui revint à l'esprit comme une gifle. Les paroles de Gran'ma résonnaient encore à ses oreilles, accusatrices et implacables. Un affreux sentiment de culpabilité la saisit. Elle et ses amis avaient-ils vraiment déclenché le courroux du fantôme de Djem, en pénétrant dans la citadelle maudite? Le démon allait-il revenir et détruire de nouvelles maisons? Ou pire... car nul ne savait de quoi était capable un revenant en colère. Après tout, il n'avait pas hésité à tuer tous les habitants du château, ainsi que sa propre sœur; il y avait donc fort à parier que d'anéantir quelques elfes ne lui poserait pas de problème de conscience. Les morts avaient-ils encore une conscience, d'ailleurs?

Luna songea au palais des Brumes et à ses tours infiniment grandes. Elle se demanda où serait allé Djem s'il avait pu rejoindre Outretombe... Certainement dans la tour des Monstres, là où étaient reclus les pires criminels que la terre ait portés. Mais pourquoi n'y était-il pas, dans ce cas? Viurna avait-elle raison lorsqu'elle disait que, si Djem hantait la citadelle, c'était parce qu'il avait été emmuré vivant? Parce qu'il n'avait pas eu de sépulture décente? Si on lui en offrait une, rejoindrait-il le royaume des morts, libérant enfin la région de sa menaçante présence?

Luna s'arrêta de marcher. Une idée venait de germer dans son esprit.

Si elle retournait à la forteresse et trouvait le corps oublié du prince, si elle l'enterrait en confiant son âme à Eilistraée, Djem cesserait peut-être de hanter cet endroit. Alors, les elfes sylvestres, à jamais reconnaissants, reviendraient sur leur décision. Ysmalia pourrait accueillir les exilés et ils formeraient tous ensemble une nouvelle communauté unie et soudée.

Cette perspective, bien que périlleuse, redonna de l'espoir à Luna. C'était sans conteste la solution idéale. L'adolescente comprit qu'elle ne retournerait pas au bateau sans avoir tout tenté pour rester là. Plus déterminée que jamais, elle quitta le sentier qui menait à la crique et bifurqua dans la jungle en direction de la citadelle.

Animée d'une force nouvelle, elle se mit à courir. Avec souplesse et facilité, elle enjamba les troncs moussus que d'anciennes tempêtes avaient jetés là, elle sauta par-dessus les racines tortueuses et les bouquets de fougères. Elle espérait ne pas tomber sur Viurna. Elle ignorait où se trouvait la grotte dont elle avait parlé, mais elle se trouverait à court d'arguments si la vieille femme la découvrait en train de filer vers la forteresse au lieu de rejoindre ses amis comme prévu. Sans compter que ce n'était pas le moment d'inquiéter Elbion. Elle décida par conséquent de ralentir sa course afin de se faire plus discrète.

Pourtant, Luna ne rencontra personne et poursuivit sa route, solitaire. Alors qu'elle craignait de s'être perdue, elle reconnut avec soulagement le petit lac paisible qui dormait au pied des ruines haut perchées. Elle jeta un coup d'œil vers les murailles qui jouxtaient la tour à moitié éboulée et réprima un frisson. Ce n'était pas le moment de se laisser intimider. Sans hésiter ni faiblir, elle se remit à courir et gravit la colline. Arrivée au pied des imposants remparts, elle se rendit compte qu'elle gagnerait peut-être du temps en les escaladant. Si son sens de l'orientation ne lui faisait pas défaut, le jardin du logis seigneurial se trouvait juste derrière ces hauts murs. Elle décida d'examiner les pierres avec attention, afin de déterminer l'endroit le plus approprié pour grimper. Il lui apparut bientôt que l'ascension ne devrait pas être si compliquée que cela. Les joints usés par les siècles et rongés par les vents offraient des prises régulières et pas trop espacées. Le seul danger serait de tomber sur un bloc friable qui se détacherait sous son poids. À cette hauteur, une chute lui serait fatale.

Cela n'arrêta pourtant pas l'intrépide jeune fille. Plus vite elle accomplirait sa macabre besogne, plus vite elle retournerait annoncer la bonne nouvelle aux elfes sylvestres.

Avant de se lancer à l'assaut du mur, elle testa plusieurs pierres qui lui semblèrent solides et bien scellées. Lentement, elle commença à s'élever le long de la muraille. Ses mains agiles agrippaient les blocs avec fermeté, pendant que ses pieds trouvaient appui dans les interstices autrefois remplis de mortier. En s'interdisant de regarder en bas, elle poursuivit sa progression avec prudence et ténacité. Plusieurs fois elle sentit des morceaux de pierre rouler ou s'effriter sous ses doigts, mais son sens de l'équilibre lui permit de tenir bon. Ce fut donc sans réelles difficultés qu'elle parvint au sommet des remparts. Elle enjamba le parapet et atterrit avec agilité sur l'étroit chemin de ronde.

Elle frotta ses mains recouvertes de poussière ocre et jeta un coup d'œil de l'autre côté du mur. En contrebas se trouvait effectivement le jardin en friche avec ses arbres séculaires et ses ronciers géants, mais le sol était tout de même à six ou sept mètres de hauteur. Descendre de là ne serait pas chose aisée.

En regrettant de ne pas avoir emporté de corde avec elle – mais comment l'aurait-elle pu? – Luna décida de marcher jusqu'à la tour de guet la plus proche pour emprunter l'escalier. Elle espérait qu'il ne fût pas complètement obstrué par les gravats, malgré l'état de délabrement avancé de l'édifice.

La porte qui défendait autrefois l'accès à la tour avait depuis longtemps disparu. Seuls les gonds rouillés témoignaient encore de son existence en des temps reculés. Malgré la petitesse du passage, Luna n'eut pas à se baisser; elle pénétra dans une minuscule pièce dont le sol en partie effondré tenait par on ne savait quel miracle. Dans un coin, les vestiges d'un escalier à vis s'enfonçaient dans les profondeurs de la tour. Finalement, d'emprunter cette voie serait peut-être plus risqué que de descendre par le mur. Pourtant, Luna décida de tenter sa chance. Elle s'engagea prudemment sur les marches usées.

En retenant son souffle, elle posa ses pieds avec circonspection sur l'escalier encombré de blocs plus ou moins gros qui provenaient des étages supérieurs. L'effondrement avait fragilisé la structure de la tour et chaque pas s'avérait périlleux. À un moment, l'adolescente dut même se faufiler entre deux énormes pierres en priant pour que ses mouvements de reptation dans l'étroit passage n'ébranlent pas l'ensemble de l'édifice. Si jamais ces blocs s'écroulaient sur elle, ils briseraient son corps sans pour autant la tuer. Son agonie serait atrocement longue, sans compter qu'elle mourrait emmurée, comme Djem.

Cette idée l'effraya. Fébrile, elle s'empressa de se dégager de l'étroit boyau. Mais, lorsqu'elle se redressa enfin, elle s'aperçut avec angoisse que les marches suivantes étaient encore plus encombrées. Un sentiment de claustration s'empara d'elle. Son pouls s'accéléra et ses mains devinrent moites. Pourtant elle ne se sentait pas la force de faire demi-tour. Rassemblant ses dernières bribes de courage, elle s'allongea, se fit la plus fine possible et se glissa, tête la première, entre les décombres. L'endroit ressemblait à un labyrinthe de pierres et de blocs empilés grossièrement et seules quelques failles lui permettaient de se faufiler vers le bas. Heureusement que Luna était mince et souple, car certains passages s'avéraient très étroits.

Désorientée par ce parcours chaotique, Luna poursuivait sa lente descente dans l'obscurité poussiéreuse où elle parvenait avec peine à réprimer sa peur quand brusquement un doute affreux la saisit. Et si elle ne trouvait pas la sortie! Si le rez-de-chaussée était entièrement bouché! Dans sa gorge sèche, un nœud de panique l'empêcha de déglutir. Elle faillit s'étrangler et se mit à tousser et à avaler les particules de poussière stagnante. Secouée de spasmes convulsifs, elle ne se rendit pas tout de suite compte que les blocs qui la supportaient s'effondraient. La chute ne dura pas longtemps, mais l'impact fut des plus brutaux. Malgré une vive douleur aux côtes, Luna eut le réflexe de s'écarter rapidement pour éviter de recevoir quelque pierre sur le crâne. Grand bien lui en prit, car sa chute entraîna un éboulement massif. Des dizaines d'énormes blocs s'effondrèrent dans un épouvantable fracas, soulevant un nuage de poussière qui opacifia complètement l'endroit où Luna se trouvait.

En suffoquant, l'adolescente aveuglée recula jusqu'à toucher un mur dans son dos. À tâtons, ses mains partirent en exploration. Elles devinèrent des briquettes empilées au mortier d'assez bonne facture, malgré la moisissure dont elles étaient recouvertes. Luna en déduisit qu'elle se trouvait sous la tour et bénit l'architecte qui avait eu l'intelligence de bâtir des fondations solides ; sinon, elle aurait péri ensevelie et personne n'aurait jamais eu l'idée de venir chercher son cadavre là.

À l'idée de devenir à son tour un fantôme errant, ses cheveux se dressèrent sur sa tête. De tenir compagnie à Djem l'éternité durant ne faisait pas partie de son plan.

Lorsque la poussière commença lentement à retomber, Luna épousseta ses vêtements, frotta son visage maculé d'ocre ainsi que ses cheveux et promena son regard de nyctalope autour d'elle. Elle se trouvait dans un large couloir dont la voûte en ogive lui en rappela aussitôt un autre, le sous-sol où Thyl et Sylmarils s'étaient aventurés sous prétexte qu'Elbion avait flairé quelque chose, l'endroit où ils avaient entendu Djem se manifester.

Luna déglutit, à la fois terrifiée et excitée. Elle y était ! Il ne lui restait plus qu'à découvrir l'endroit précis où reposait le corps du malheureux prince sacrifié par son père.

Le cœur battant, elle s'aventura dans les dédales en se laissant cette fois guider par son instinct. Lorsqu'en pénétrant dans un couloir plus large elle reconnut l'escalier en bon état par lequel ils étaient passés, elle comprit qu'elle avançait dans la bonne direction.

Soudain, une voix rauque et ténébreuse la saisit d'effroi.

— Arrière, mortelle! Ta place n'est pas ici. Ne nous force pas à te réduire à néant. Retourne d'où tu viens!

# 15

Les hommes-rats n'avaient pas perdu de temps. Dès que l'armée drow avait ouvert les portes de la ville, des espions stratégiquement placés s'étaient empressés de redescendre dans les sous-sols de Rhasgarrok par des tunnels connus d'eux seuls afin d'avertir leurs congénères. Le massacre du groupe d'artisans chargés de construire les échelles en vue de l'assaut final avait rendu leur chef ivre de rage. Il avait immédiatement donné l'ordre du grand rassemblement. Il était temps que le peuple des hommes-rats montre à ces prétentieux drows que, désormais, c'était eux les véritables maîtres de la cité souterraine !

Les hybrides avaient unanimement répondu à l'appel. Des entrailles telluriques de Rhasgarrok, des failles les plus reculées et des profondeurs insoupçonnées, ils avaient surgi avec la volonté de se battre jusqu'au bout. Ils étaient prêts à tout pour sortir du trou où on les avait relégués. Cela faisait en effet des siècles qu'une matriarche plus fanatique que ses ancêtres les avait désignés comme la pire espèce vivant dans la ville. Méprisés de tous, raillés pour leur laideur et leur régime alimentaire abject, ils étaient devenus les boucs émissaires de toutes les autres races de Rhasgarrok. Pour survivre, ils avaient été contraints de s'exiler très loin, bien en dessous de la cité, là où personne ne pourrait ni les voir ni les sentir. Les hommes-rats s'étaient fait oublier, à tel point qu'aucun d'entre eux ne faisait partie du contingent militaire de matrone Sylnor. Mais ils possédaient des espions, aussi efficaces que discrets.

Tout d'abord surpris par l'agitation que provoquaient les préparatifs martiaux des habitants de Rhasgarrok, les hommes-rats avaient très vite accueilli la nouvelle du départ de l'armée drow comme une bénédiction. Ils n'avaient pas cherché à comprendre pourquoi la jeune matrone vidait la cité de ses habitants ni contre qui elle allait se battre. Ils n'avaient vu dans cette opportunité que leur intérêt. Ils allaient pouvoir réinvestir la cité dont on les avait injustement bannis. L'heure de la vengeance avait enfin sonné !

D'abord, quelques éclaireurs étaient montés

voler de la nourriture. Mieux valait se montrer prudent et circonspect. Étant donné la malignité des drows, il pouvait très bien s'agir d'un piège. Ce n'aurait pas été le premier. Mais la ville était réellement vide, ou presque. Rapidement, les hommes-rats s'étaient enhardis et avaient commencé à s'en prendre aux habitants. Au début, ils avaient cherché des victimes faciles, un vieillard aveugle, un enfant qui jouait seul dans une cour, un estropié qui clopinait dans une ruelle déserte. Comme ils n'avaient pas ou peu rencontré de résistance, le carnage avait débuté. Les hommes-rats avaient envahi les maisons, les places et les rues. Ils étaient partout à la fois, dans les moindres recoins de la ville, surtout là où on ne les attendait pas. Ils tuaient par plaisir, par vengeance ou par besoin et en profitaient pour se nourrir. Affamés par des siècles de privations, ils avaient mangé à s'en faire éclater la panse. Jamais les hommes-rats n'avaient connu une telle abondance de proies. Fiers de leurs exploits et de ces festins, ils avaient exposé les cadavres au coin des rues comme autant de trophées.

Au fil des semaines, toutefois, le gibier s'était raréfié. Les drows qui avaient survécu aux razzias se terraient dans leur maison barricadée. Ils avaient pensé à obstruer les voies d'accès souterraines et disposé des maléfices pour occire quiconque tentait de pénétrer chez eux. Les hommes-rats, furieux et impuissants, avaient dû se rabattre sur le monastère, sachant que nombre de drows y avaient trouvé refuge. Ils avaient donc ordonné l'assaut de ce garde-manger géant. Mais les satanées guerrières drows avaient défendu la place bec et ongles. Les rangs des hommes-rats s'étaient vite éclaircis. Comme ils ne pratiquaient aucune magie et ne se battaient qu'au corps à corps, ils avaient dû se replier pour échafauder une nouvelle stratégie. Ils avaient décidé de se munir d'arcs et de flèches. Ce n'était pas leur arme de prédilection, mais, avec un peu d'entraînement, ça ferait l'affaire.

Pourtant les premiers résultats s'étaient révélés décevants. Les blessures occasionnées par les flèches étaient rarement mortelles; les blessées étaient rapidement évacuées et d'autres gardes drows prenaient leur place sur les remparts.

Les hommes-rats avaient alors eu une idée de génie. Ils avaient empoisonné leurs projectiles. Experts en alchimie et en poisons de toutes sortes, ils avaient élaboré une substance mortelle pour leurs ennemis, mais totalement inoffensive pour eux. Il n'était pas question qu'ils se rendent malades en dévorant leurs proies. Cette fois, leurs efforts avaient été payants. Les drows atteintes par leurs flèches empoisonnées étaient tombées comme des mouches. Bientôt, plus une seule d'entre elles ne montait la garde.

L'étape finale consistait à bâtir de grandes échelles pour grimper le long des murailles. Une centaine d'artisans avaient été réquisitionnés et travaillaient d'arrache-pied depuis deux jours quand l'armée drow leur était tombée dessus. Les elfes avaient massacré les hommes-rats et traqué les malheureux survivants dans toute la cité.

Les hybrides auraient pu s'avouer vaincus et retourner dans leurs trous pitoyables. Mais il n'en était plus question, à présent. Maintenant qu'ils avaient goûté à la chair des drows, à la liberté et au luxe de certaines demeures, ils ne comptaient plus faire machine arrière. Leur chef les avait exhortés à aller se battre. Tous avaient répondu à son appel. Tous étaient prêts à mourir pour récupérer Rhasgarrok et tant pis s'ils ne maîtrisaient aucune magie; leur nombre ferait la différence.

Du haut des remparts, matrone Sylnor découvrit avec stupeur les innombrables hordes d'hommes-rats qui avaient envahi l'esplanade du monastère. Cette scène lui en rappela immanquablement une autre. Lors de la guerre civile qui l'avait opposée aux adorateurs du scorpion, elle avait connu le même moment de panique, la même frayeur sourde.

Elle s'efforça pourtant de maîtriser la peur grandissante qui lui tordait les tripes. Au loin, des flammes attirèrent son regard et elle entendit les cris de son peuple à l'agonie. Des maisons brûlaient. Son cœur se comprima douloureusement dans sa poitrine. Les combats avaient déjà commencé et, contrairement aux adeptes de Naak, les hommes-rats ne se rendraient pas. Ils n'avaient rien à perdre, eux, et ils arrivaient par centaines, encore et encore, toujours plus nombreux!

Matrone Sylnor se tourna vers Ethel. Le jeune drow se tenait à côté d'elle, ses yeux d'un gris limpide rivés sur leurs ennemis.

— Tu as peur? lui demanda-t-elle d'une voix neutre.

— Non, Votre Grandeur, car je suis prêt à mourir à vos côtés… enfin, je veux dire pour votre gloire et celle de Lloth.

La matriarche sonda son esprit et sut qu'il disait vrai. Le sorcier n'avait pas peur de mourir. Aucun des drows n'avait peur de mourir, car tous considéraient comme un honneur de donner leur vie pour leur maîtresse. Mais Sylnor, elle, avait peur. Peur de voir son peuple massacré, peur de voir sa ville détruite, peur de voir son pouvoir et sa puissance réduits à néant, peur de mourir tout simplement. Oui, la jeune fille avait effroyablement peur de mourir. Elle se mit à maudire le sang d'elfe argenté qui courait dans ses veines. Sa lâcheté ne pouvait venir que de là. Encore un cadeau empoisonné de sa mère!

— Allez-vous vous métamorphoser en araignée géante comme la dernière fois? lui demanda Ethel, les yeux brillants d'excitation.

Sylnor ne sut quoi répondre. Elle savait que, cette fois, cela ne suffirait pas à faire fuir l'envahisseur. Les hommes-rats n'auraient pas peur d'elle. Ils perforeraient sans pitié l'armure qui protégerait son céphalothorax et fouilleraient ses chairs de leurs lances empoisonnées. Elle aurait beau se défendre, sectionner leurs corps à l'aide de ses pattes aiguisées et trancher leurs horribles petits cous poilus, d'autres viendraient à la rescousse et l'achèveraient. Le venin mortel se répandrait dans ses veines et paralyserait son cœur. Si elle utilisait son pouvoir pour descendre parmi ses ennemis, elle mourrait indubitablement. Mais comment l'avouer à Ethel sans paraître lâche?

Ce fut une fois de plus Ylaïs qui lui sauva la mise.

— Je vous en conjure, maîtresse, ne vous transformez pas, s'écria-t-elle. Ce serait du suicide ! Ils sont bien trop nombreux ! Il faut trouver autre chose.

— Que proposes-tu ?

Ylaïs se mordit la lèvre inférieure.

— J'ai bien une idée, mais je crains que vous ne la trouviez stupide.

— Dis toujours ! Au point où nous en sommes, de toute façon…

— Vous avez toujours le petit flacon que vous avez arraché au nécromancien ?

Matrone Sylnor fronça les sourcils, étonnée. Bien sûr qu'elle se souvenait du citrex ! C'était son grand-père paternel, Askorias le nécromancien, qui avait piégé l'esprit de Ravenstein dans un artefact très ancien, lors d'une de ses expéditions à Outretombe.

— Celui qui contient l'essence de Ravenstein ?

— Celui-là même, Votre Grâce. Le moment est peut-être venu de vérifier si sa force de protection est aussi grande qu'on le dit.

— Mais, si je libère l'esprit de Ravenstein maintenant, ne risque-t-il pas de se retourner contre nous, et de nous anéantir ?

La première prêtresse haussa les épaules avec un air fataliste.

— C'est un risque à prendre. De toute façon, nous n'avons plus grand-chose à perdre…

La matriarche hésita. L'esprit de la forêt était

sans aucun doute extrêmement puissant, mais c'était quitte ou double. Ou il se vengerait d'avoir été capturé et tuerait tous les drows, ou bien il lui serait reconnaissant de l'avoir délivré et soufflerait un vent de mort sur ses ennemis.

— Très bien. Va me chercher le citrex, ordonna la grande prêtresse à Ylaïs.

«Et moi je vais avoir besoin de l'aide de Lloth!» ajouta-t-elle dans son for intérieur.

# 16

Pétrifiée par cette voix surgie des ténèbres, Luna se força à respirer lentement. Elle plissa les yeux pour percer la nuit profonde qui régnait dans ces couloirs infinis et tenter d'apercevoir quelque chose. Nulle présence ne semblait troubler les lieux. Pourtant, elle savait que les fantômes des gardiens n'étaient pas loin. Elle les avait repoussés une première fois, mais ils étaient de retour et ils connaissaient à présent la force de son pouvoir. Ils mettraient certainement tout en œuvre pour l'empêcher d'approcher Djem.

L'adolescente décida de discuter avec eux; peut-être se montreraient-ils conciliants lorsqu'ils apprendraient ses louables desseins.

— Je sais qui vous êtes et vous ne me faites pas peur, cria-t-elle à la cantonade. Quoi que vous fassiez pour m'effrayer, je ne partirai pas d'ici. J'ai une mission à accomplir et rien ne me fera reculer.

— Nous aussi, nous avons une mission, rétorqua la voix caverneuse. Et tu n'es pas de taille à nous affronter. Renonce avant d'y laisser la vie !

— Jamais ! Je suis venue chercher le corps de Djem pour lui offrir une vraie sépulture et apaiser ainsi son âme.

— Tu te trompes, petite mortelle, gronda la voix en faisant trembler les murs autour d'elle. Jamais l'âme du prince ne retrouvera la paix. Jamais ! Djem est maudit, cet endroit est maudit et nous sommes tous maudits, pour l'éternité !

Avant que Luna ait pu expliquer qu'elle voulait justement mettre un terme à cette malédiction séculaire, une puissante bourrasque la projeta brutalement contre le mur. Le choc fut violent. Sa tête heurta les briques dans un éclair de douleur. Sonnée, elle se laissa glisser sur le sol. Mais, lorsqu'elle sentit des mains invisibles s'enrouler autour de ses bras et de ses jambes, elle chercha à se redresser, effrayée.

— Lâchez-moi ! hurla-t-elle en se débattant.

Mais, plus elle se débattait, plus la pression sur ses membres s'accentuait. Elle était comme enserrée dans quatre étaux implacables qui menaçaient de l'écarteler. Elle allait crier à nouveau quand une main d'acier se plaqua brusquement sur son visage, l'empêchant d'un coup de respirer. Une onde de terreur s'empara d'elle. Allait-elle mourir dans cet endroit sordide, étouffée par quelques fantômes trop bornés pour entendre raison?

Pendant que son corps se tordait en tous sens, livrant un ultime combat contre ses agresseurs, son esprit bouillonnait d'émotions contradictoires. La peur de mourir faisait monter en elle une colère incontrôlable, teintée de remords et de désespoir, mais également de haine et de rage. Son sang palpitait à ses tempes comme un torrent en furie, son cœur battait comme mille tambours de guerre. Elle chercha désespérément à respirer, à avaler ne fût-ce qu'une toute petite bouffée d'air pour survivre encore quelques secondes, mais la main meurtrière lui refusait cette ultime faveur. Tout son corps s'arqua de douleur dans un dernier spasme de vie.

Alors, sa fureur s'agglomléra en un orbe d'énergie destructrice qui fut violemment expulsé hors de son corps. Sans qu'elle l'ait cherché ni même voulu, son pouvoir jaillit brusquement de son esprit. La force mentale de l'adolescente, plus puissante que jamais, car décuplée par la panique, terrassa d'un seul coup ses ennemis invisibles.

Les étaux qui entravaient ses membres disparurent aussitôt, tout comme le bâillon qui l'étouffait. Le corps de Luna retomba sur le sol, vidé, anéanti, dans un silence de mort.

Lorsque l'adolescente reprit connaissance, son corps était moulu et son esprit ressemblait à un trou béant. Incapable de réagir ou même de réfléchir, elle mit plusieurs minutes à se souvenir par bribes successives de l'agression des fantômes. Sa seule certitude était que, sans son pouvoir, elle aurait déjà rejoint le royaume des morts.

Péniblement, elle se releva et prit appui sur le mur pour regarder autour d'elle. Ses yeux sondèrent les ténèbres sans rien noter de spécial ; ses oreilles ne captèrent aucun bruit. Elle était une fois encore parvenue à chasser les fantômes gardiens. Mais, les morts ne pouvant mourir, ils reviendraient sans doute bientôt. Elle n'avait que peu de temps pour accomplir la tâche qu'elle s'était imposée. Prenant une profonde inspiration, elle se remit en route, lentement.

Ce ne fut qu'après une dizaine de tours et de détours dans les couloirs interminables du labyrinthe souterrain, qu'elle se rendit compte qu'elle avançait mécaniquement, presque sans réfléchir. Dès qu'un croisement se présentait, elle tournait sans hésiter, tantôt à gauche, tantôt à droite, comme si elle suivait un fil d'Ariane invisible, comme si quelqu'un dans l'au-delà la guidait. Soudain, son ouïe capta un chant lointain, si faible et ténu qu'elle dut s'arrêter et retenir sa respiration pour s'assurer qu'elle ne rêvait pas. Mais non, son imagination ne lui jouait pas de tours. Quelqu'un, tout au fond de ce dédale infini, était effectivement en train de fredonner une lente mélopée. Djem! Djem chantait pour elle! Il avait compris qu'elle venait le libérer et il la guidait jusqu'à lui.

Luna sentit ses forces revenir. Malgré la bosse qui gonflait à l'arrière de son crâne et les contusions qui engourdissaient ses membres endoloris, elle reprit espoir et força l'allure. La mélodie, triste et nostalgique, ressemblait à celle qu'elle avait entendue lors de son escapade nocturne sur la plage avec Allanéa. Mais, cette fois, Luna n'éprouvait aucune peur. Elle sentait au contraire qu'une présence bienveillante l'appelait. Plus motivée que jamais, elle se mit à courir.

À mesure qu'elle s'enfonçait dans les couloirs obscurs, la voix grandissait, les paroles, bien que prononcées dans une langue inconnue, devenaient plus distinctes. C'était tellement beau, tellement poignant que Luna en eut des frissons. Le chant était maintenant tout près. Il montait d'un escalier en colimaçon qui s'enfonçait encore plus loin dans les entrailles de la citadelle. Sans hésiter, Luna s'y précipita. Pourtant, au pied des marches, une lourde grille métallique lui barra le chemin.

Hypnotisée par la mélodie, Luna agrippa les barreaux et tenta de les faire bouger. Derrière se trouvait une salle jonchée d'armures curieusement jetées à même le sol. Le métal de la grille était certes rouillé par les siècles, mais encore suffisamment solide pour l'empêcher de passer. Luna aurait bien utilisé son pouvoir, mais elle se sentait trop faible encore pour donner le maximum de sa puissance. Et cette voix qui l'appelait avec tant d'ardeur!

Dépitée, elle laissa échapper un juron et se tourna pour faire demi-tour; elle trouverait bien un autre moyen de se rendre à l'endroit d'où s'élevait la mélopée. Mais un grincement sinistre dans son dos la fit sursauter. Elle pivota et resta bouche bée devant la grille grande ouverte qui l'invitait à passer. Luna attribua ce prodige à l'esprit de Djem qui la guidait et avança. Elle remarqua alors que le chant avait cessé. Hésitante, elle fit un pas dans la salle circulaire qui se trouvait derrière la grille et se figea en apercevant les squelettes humains qui se trouvaient à l'intérieur des armures. Luna les compta rapidement. Sept! Ils étaient sept guerriers, morts en serrant fermement le pommeau de leur longue épée, à présent rouillée par les siècles.

«Sûrement les gardiens sacrifiés, songea-t-elle en fronçant le nez. La prison de Djem ne doit pas se trouver bien loin.»

Malgré la peine sincère que Luna éprouvait pour ces hommes qui avaient payé de leur vie leur fidélité à leur roi, elle espéra avoir suffisamment estourbi leurs fantômes pour qu'ils ne reviennent pas de sitôt à la charge. Elle s'avança dans la pièce en prenant garde de contourner os et armes.

Elle constata rapidement que la pièce n'était pas vraiment circulaire. Elle avait en réalité la forme d'un demi-cercle, car un mur de pierre ocre la coupait en son centre. Massif et grossier, ce mur détonnait dans ces galeries de briquettes rouges, régulières et soigneusement disposées. Luna eut immédiatement l'intuition qu'il avait été construit après, comme s'il n'avait pas été prévu dans les plans originels de la forteresse. On l'avait édifié pour emprisonner… Djem!

Luna sut que son instinct ne la trompait pas. Elle avait devant elle la prison du prince sacrifié par son père. Elle s'approcha du mur en retenant son souffle, comme pour ne pas briser le silence sépulcral, comme pour ne pas troubler l'air figé par des siècles d'attente.

Doucement, elle posa sa main sur les pierres poussiéreuses qui séparaient la pièce en deux. Elle frissonna à leur contact. Les blocs étaient glacés comme la mort.

— Je suis là, Djem, murmura-t-elle comme pour se rassurer. Je vais te délivrer.

Ses mains sondèrent le mur, mais le mortier qui scellait les pierres était épais et solide. Le roi avait dû prendre toutes les précautions possibles pour que son fils ne s'échappe jamais de cette cellule qui deviendrait son tombeau.

Une vague de découragement s'empara de Luna. Elle se laissa tomber à genoux au pied du mur. Ce serait tellement idiot d'être arrivée jusque-là et d'abandonner si près du but. Non, elle ne pouvait pas renoncer. Elle devait tenter de faire appel à son pouvoir, quelles que soient sa fatigue et sa lassitude.

Elle ferma les yeux et chercha dans son âme des sentiments forts qui pourraient réveiller son énergie mentale. Elle décida de penser au drame qu'avait vécu Djem pour expérimenter à son tour la colère, la douleur, la haine et le désespoir. Comment un père avait-il pu se laisser convaincre de sacrifier l'un de ses deux enfants? Pourquoi avait-il décidé d'emmurer son fils? Pourquoi avait-il obéi à cette affreuse sorcière? Pourquoi n'avait-il rien tenté pour l'épargner?

Une chose curieuse se produisit soudain. Luna fut comme happée par le passé et transportée à la place de Djem. Et elle fut Djem.

Il se vit enfermé de l'autre côté de ce mur, seul, désemparé, dans l'obscurité la plus totale. Effrayé, il se mit à tambouriner contre les pierres muettes et froides. Mais personne ne lui répondit; apparemment, personne ne se souciait de son sort.

Les sept gardes qui l'avaient amené là sous un faux prétexte se trouvaient-ils encore derrière? L'entendaient-ils? Il les appela et cria leur nom, mais ce fut en vain. Ces hommes, il les côtoyait tous les jours et il avait en eux une confiance absolue. Comment avaient-ils pu l'abandonner dans un endroit aussi sinistre!

Alors, il hurla de colère. Comme rien ne se passait, ce fut bientôt de peur qu'il se mit à crier. Il ne voulait pas mourir, pas comme ça, pas maintenant. Il était encore trop jeune! Et sa sœur, sa sœur chérie, où était-elle? Aldriel saurait-elle jamais quel destin tragique avait frappé son frère? Djem cria son nom, des dizaines, des centaines, des milliers de fois avant de perdre complètement la voix. Mais jamais la belle Aldriel ne descendit le délivrer.

Bientôt la soif se fit sentir, puis la faim. Lancinantes d'abord, puis obsédantes, elles le torturèrent sans répit. Jamais Djem n'avait connu pareille souffrance. Il allait mourir. Maintenant, il le savait; ce n'était qu'une question d'heures. Personne ne viendrait jamais le délivrer. Il mourrait de soif et de faim, emmuré dans le ventre de cette citadelle qui l'avait vu grandir. Brusquement, une haine farouche envahit son esprit. Il se mit à haïr ce père qui l'avait sacrifié sans remords, ainsi que son ingrate de sœur qui l'avait abandonné à son sort cruel.

Finalement, cela l'arrangeait bien, cette garce, de ne plus avoir ce bon à rien dans les pattes. Elle pourrait hériter du trône et devenir reine. De toute façon, son père l'avait toujours préférée. Lui, Djem, n'était que le doux rêveur, le poète insouciant, le gentil troubadour qu'on aimait écouter chanter, mais à qui on n'aurait jamais rien confié d'important, surtout pas le trône du royaume. Djem avait toujours été inutile; il mourrait dans l'indifférence la plus totale.

Un désespoir infini le submergea. Il s'enveloppa dans sa cape de velours grenat et s'adossa au mur de brique. Là, en attendant la mort, il se mit à fredonner quelques anciennes complaintes qui émouvaient tant les convives lors des banquets somptueux que donnait son père. Pleines de mélancolie et de tristesse, les paroles apaisèrent quelque peu sa douleur et lui permirent de quitter ce monde en douceur. Il mourut la bouche ouverte, au beau milieu d'un refrain à jamais inachevé.

Luna regagna tout à coup son identité. Pour un peu, elle aurait cru que ce calvaire avait été le sien... Non, ce calvaire avait réellement été le sien. Elle l'avait vécu dans toute son horreur. Elle se rebella contre ce destin injuste et libéra tout à coup son pouvoir. L'orbe d'énergie jaillit de son esprit et percuta violemment le mur. Les pierres n'explosèrent pas, mais le mortier se fendilla. Dans un craquement sec, il céda en profondeur et libéra des pierres scellées depuis des siècles.

Luna se releva et regarda le mur avec perplexité. Comment dégager les plus grosses pierres encore coincées? Ses yeux tombèrent sur les épées des gardiens. Elle saisit la plus proche d'elle, mais la relâcha aussitôt en constatant que le bras venait avec. D'un geste qui lui faisait horreur, elle appuya son pied sur les os du poignet et tira sur l'arme d'un coup sec. L'articulation céda dans un craquement sinistre. Elle s'empara de l'arme et la planta dans les interstices dégagés par sa force mentale. Elle appuya dessus de toutes ses forces et les moellons immobiles depuis tant de siècles se mirent à bouger, à vibrer puis à rouler de l'autre côté, ouvrant ainsi un étroit passage.

Le cœur battant à tout rompre, Luna se faufila dans l'ouverture. Dans cette partie de la pièce, l'air était vicié et à peine respirable. L'obscurité était presque poisseuse. Pourtant Luna n'en avait cure. Son regard était rivé sur le petit squelette toujours adossé aux briques moisies, enveloppé dans sa cape poussiéreuse. Djem, enfin !

La poitrine de Luna se comprima sous l'émotion. Elle s'approcha en silence du corps, pleine de respect et de compassion, et s'agenouilla devant lui. Il semblait tellement minuscule, tellement inoffensif. Luna se demanda un moment s'il était vraiment responsable de toutes les morts qu'on lui attribuait, si c'était réellement son fantôme qui hantait la région et qui avait détruit une partie du village des elfes sylvestres.

— Je suis là, Djem, murmura-t-elle. Je t'ai trouvé et maintenant je vais te ramener à la surface pour t'enterrer comme tu aurais dû l'être autrefois. Je sais que cela n'effacera pas tes tourments et l'injustice dont tu as été victime, mais ton âme s'en trouvera apaisée et tu pourras rejoindre le royaume des morts.

Avec des gestes d'une délicatesse infinie, Luna

enveloppa les restes du prince dans la cape, que l'air sec de cette cellule avait miraculeusement préservée, afin de pouvoir transporter le squelette sans lui causer trop de dommages. Sa triste besogne achevée, elle chargea le paquet sur son dos et sortit du sinistre sépulcre. Elle traversa la salle circulaire, remonta les marches de l'escalier en colimaçon et obliqua à droite. Elle ne se souvenait plus être passée par là, mais elle savait que Djem la guidait vers une sortie plus proche. Il avait sans doute perçu son message et était tout aussi désireux qu'elle de retrouver l'air libre.

Bientôt une volée de marches émoussées l'amena devant une lourde porte en bois qui heureusement n'était pas verrouillée. La lumière du jour filtrait au-dessous, rassurante. Luna poussa le battant et plissa les yeux, aveuglée.

Le soleil, pourtant, commençait à décliner. Toute à sa mission, Luna n'avait pas vu le temps passer. Combien d'heures était-elle restée dans ces souterrains obscurs ? Elle se rendit soudain compte qu'elle n'avait ni mangé ni bu depuis plusieurs heures. Comme si ses fonctions vitales s'étaient remises en route d'un coup, elle sentit sa gorge affreusement sèche ; hélas ! la fontaine au centre du jardin était désespérément sèche. Luna réalisa alors seulement à quel point le calvaire de Djem avait été horrible.

« Mais bientôt tout rentrera dans l'ordre, se rassura-t-elle intérieurement. Cette tragique histoire ne sera plus qu'un lointain souvenir. Il ne me reste plus qu'à trouver l'endroit idéal pour enterrer ce pauvre garçon et à dénicher quelque outil pour creuser la terre. »

Le jardin n'était pas immense, mais rares étaient les parcelles épargnées par les ronces ou les mûriers. En contournant un grand chêne, elle sentit sous l'herbe folle une terre meuble et souple, donc facile à creuser. Par ailleurs, cet arbre majestueux était digne de l'ascendance royale du jeune prince ; il veillerait sur la sépulture comme un vénérable gardien. C'était l'endroit idéal. Maintenant, il ne lui restait plus qu'à trouver de quoi faire un trou. Elle aurait pu bien sûr creuser avec ses mains, mais elle n'avait pas envie d'y passer la nuit. Ses amis risquaient de s'inquiéter et de partir à sa recherche.

Luna fouilla dans une remise abandonnée et trouva rapidement une bêche qui ferait parfaitement l'affaire. Elle retourna là où elle avait laissé le corps de Djem et commença à piocher la terre, au pied du chêne.

— Je vais t'installer là, expliqua-t-elle. Tu verras, tu seras bien tranquille. Le jour, le soleil réchauffera ton corps pendant que les mésanges et les rouges-gorges viendront chanter avec toi. La nuit, ce bel arbre filtrera les rayons de la lune pour qu'ils ne troublent pas ton sommeil.

— À qui tu parles? demanda tout à coup une voix dans son dos.

# 17

Luna sursauta violemment, soudain terrorisée comme elle ne l'avait jamais été de toute sa vie. Son cœur fit un bond douloureux dans sa poitrine. Elle lâcha son outil et se retourna prestement, terrifiée.

— Alba! s'exclama-t-elle, incrédule. Tu m'as fait une de ces peurs! Mais… que fais-tu ici?

Sans répondre, la fillette se jeta contre elle pour l'étreindre. Luna l'accueillit avec bienveillance, néanmoins vaguement inquiète. Et s'il était arrivé un autre malheur pendant la journée? Et si Alba était la seule survivante? Non! Elle divaguait. Maintenant que Djem allait être inhumé, il ne pourrait plus jamais rien arriver!

— La nuit va bientôt tomber, reprit Luna.

Tu devrais être au village avec ta grand-mère. Elle va s'inquiéter.

— Non, après votre départ je lui ai dit que j'avais oublié de te donner ton cadeau et elle m'a laissé partir sur vos traces.

— Tu lui as menti ? s'étonna Luna en faisant déjà les gros yeux.

— Non, j'avais vraiment fabriqué un bracelet de pâquerettes pour toi, confessa l'enfant en fouillant dans la poche de sa tunique. Mais elles ont un peu fané.

Luna saisit le maigre bracelet en feignant de s'extasier.

— Oh, mais il est très beau ! Je vais le mettre tout de suite.

— Non, il est vraiment trop moche ! décréta Alba en le reprenant aussi sec pour le jeter au sol. Je t'en ferai un autre bien plus beau.

— Si tu veux. Mais, dis donc, pourquoi as-tu joué les espionnes ? Tu aurais dû m'avertir de ta présence !

— Je voulais le faire ! se défendit l'enfant. Mais, quand je t'ai rejointe, tu étais à genoux dans une clairière comme si tu priais. Je n'ai pas voulu te déranger. Après j'ai voulu le faire, mais, quand tu as obliqué vers l'intérieur des terres, j'ai compris que tu allais à la citadelle et je me suis dit que si je me montrais tu me renverrais chez moi.

— Tu sais pourtant que cet endroit est dangereux et qu'il t'est interdit d'y venir! Et comment as-tu fait pour franchir la muraille? Ne me dis quand même pas que tu l'as escaladée comme moi!

— Non, je connais un autre accès... plus facile.

— Un autre accès? Ce qui signifie que tu es déjà venue ici?

Alba rougit en hochant la tête, un peu honteuse. Dans ses yeux brillait pourtant un feu que Luna connaissait bien, celui de l'aventure et de la liberté.

— J'adore venir jouer ici en secret, murmura la fillette comme si elle craignait qu'on l'entende. J'imagine que je suis une princesse et que mes sujets ont mystérieusement disparu. Je m'amuse à les chercher. C'est vraiment immense, tu sais?

Luna fronça les sourcils.

— Et tu n'as jamais rencontré... de fantômes?

— Tu veux parler du prince Djem et de ses gardiens? Non, je ne les ai jamais vus. Si tu veux mon avis, ils n'existent même pas et, tout ça, c'est juste de vieilles légendes destinées à effrayer les enfants.

« Par Eilistraée, si tout cela pouvait être vrai! » songea Luna en soupirant.

Elle faillit rétorquer à la petite fille que plusieurs personnes intrépides avaient disparu en rôdant dans ces ruines, mais elle se ravisa. Il était inutile d'effrayer cette enfant, maintenant que tout danger serait bientôt écarté. Par ailleurs, elle était mal placée pour lui faire la morale et, après tout, peu importaient les expéditions clandestines d'Alba. L'essentiel était qu'il ne lui soit jamais rien arrivé de fâcheux. Elle lui adressa un sourire indulgent.

— Bon, je termine ce que j'ai commencé et ensuite nous retournerons toutes les deux au village pour rassurer ta grand-mère. Elle doit être très inquiète.

— Pas si elle me croit avec toi.

— Hum… Quand même, la nuit va bientôt tomber et je sais qu'elle se fera du souci si tu n'es pas rentrée.

— On ne pourrait pas plutôt passer la nuit sur ton bateau? J'aimerais beaucoup le voir! On rentrerait au village demain.

— Pas question! Tiens, mets-toi sur le côté, que je ne te blesse pas.

Luna, qui avait repris en main son outil, donna un nouveau coup de bêche dans la terre.

— Tu fais quoi?

— Je creuse une tombe.

— Une tombe? Pour qui?

— Pour lui ! fit laconiquement Luna en désignant le tas d'os enveloppés dans la cape.

Alba s'approcha, méfiante, et, lorsqu'elle comprit qu'il s'agissait d'un squelette, d'un vrai squelette, elle recula, horrifiée.

— Eh, mais c'est quoi, ce truc ?

— Le corps de Djem. Je suis allée le chercher dans les souterrains et je vais lui offrir une sépulture décente.

— Tu vas l'enterrer ici ?

— Oui, fit Luna en relevant une mèche qui s'était échappée de sa tresse. C'était son château. En tant que prince, il mérite bien cela, non ?

La petite fille sembla réfléchir. Soudain un éclair de joie traversa son visage.

— Je sais ce qui lui ferait plaisir. Une croix en bois !

Comme Luna la regardait avec perplexité, Alba prit un air docte.

— Grand'ma m'a souvent parlé des humains. Elle m'a appris beaucoup de choses sur eux. Par exemple, je sais qu'ils croient en un seul dieu et que son symbole est une croix. Je vais en fabriquer une avec des branches. Comme ça, le dieu de Djem saura qu'il vient le retrouver et il l'accueillera comme son fils.

Luna se redressa, étonnée par le savoir et l'intuition de cette enfant. Même elle n'y aurait pas pensé, elle qui avait pourtant eu l'occasion de voir la cathédrale de Croix-Blanche avec ses flèches et sa croix immense au sommet.

— C'est une excellente idée! déclara-t-elle. Mais ne t'éloigne pas trop et fais vite, car la nuit est en train de tomber.

— Le temps que tu déposes le corps dans la tombe et que tu rebouches le trou, ma croix sera prête, promit l'enfant en levant la main comme si elle prêtait serment.

Luna la regarda, amusée. Alba lui rappelait vraiment la petite sauvageonne qu'elle avait été autrefois, toujours partante pour de nouvelles aventures, toujours enjouée et pleine de vie. Elle revit le bracelet jeté sur la terre et le ramassa délicatement. Elle l'enfila à son poignet en souriant. Il lui rappelait les colliers de feuilles ou de glands qu'elle confectionnait pour sa mère louve. Une boule d'émotion se forma dans sa gorge. Que ce temps lui semblait loin! Que l'insouciance de ces jours heureux lui manquait! Elle aurait donné cher pour revivre ces instants précieux en compagnie de la meute. Tout était alors si simple, si facile…

Le hululement d'un hibou la ramena brusquement à la réalité. Luna fut surprise de constater que le crépuscule avait fait place à la nuit. Dans le ciel de velours, la lune brillait, pleine et bienveillante.

— Vite, fit Luna à voix basse comme pour se donner du courage.

Avec précaution, elle souleva la cape et son macabre contenu et déposa le tout dans la petite tombe improvisée.

— Que ton âme trouve enfin le repos, cher Djem, fit-elle en jetant une première poignée de terre sur le corps. Que tu quittes à jamais cet endroit maudit! Que tu rejoignes Outre-tombe et que tu laisses enfin les gens d'ici vivre en paix!

Elle avait presque entièrement recouvert le corps lorsque Alba reparut, brandissant une grande croix faite de bouts de bois noués entre eux par quelques lianes. Elle était rudimentaire et semblait bien peu solide, mais la fillette était fière de son ouvrage.

— C'est magnifique! s'enthousiasma Luna. Regarde, nous allons la planter là.

— J'ai aussi cueilli des fleurs. Les humains mettent toujours des fleurs sur leurs tombes.

Luna sourit et regarda Alba déposer avec circonspection un maigre bouquet de petites fleurs blanches sur la terre sombre.

— Et maintenant? demanda l'adolescente.

— Il faut dire une prière pour que son âme monte au paradis. C'est comme ça que les humains appellent l'endroit où ils vont après la mort.

Luna acquiesça sans montrer son étonnement. Pourtant, elle se trouva prise au dépourvu.

— Je ne connais pas de prière humaine, s'excusa-t-elle.

— Moi non plus, rétorqua la fillette en haussant les épaules. Mais je sais qu'on doit s'agenouiller et fermer les yeux. Après on n'a qu'à lui dire des mots gentils dans notre tête.

— Tu as raison, nous allons faire ça et, ensuite, on quitte cet endroit.

Elle avait failli ajouter « maudit », mais s'était reprise à temps pour ne pas effrayer Alba. Elle jeta un regard inquiet autour d'elle et réprima un frisson. L'air était doux, mais quelque chose clochait. L'adolescente n'aurait su dire quoi, mais elle avait soudain un mauvais pressentiment. C'était comme si quelqu'un les épiait, sournoisement tapi dans l'ombre des ronciers géants, prêt à bondir sur elles pour les déchiqueter sans pitié.

— Tu te mets à genoux ! lui ordonna l'enfant.

— Oui, oui, fit Luna en s'exécutant à contre-cœur.

Pourtant elle n'avait envie que d'une chose, c'était de prendre ses jambes à son cou et de fuir la citadelle, car tout son esprit lui criait qu'elle était en danger. Incapable de fermer les yeux, elle sonda les ténèbres, prête à faire appel à son pouvoir. Elle espérait qu'il ne s'agît que des gardiens du prince qui revenaient déjà, mais quelque chose au fond d'elle lui hurlait le contraire. Elle se releva d'un coup, le cœur battant.

— Allez, viens, Alba, on s'en va, maintenant !

— S'en aller où ? dit l'enfant avec une lenteur anormale. C'est chez moi, ici. Je reste là !

Luna dévisagea Alba avec perplexité. Toujours agenouillée, la petite avait gardé les yeux clos et ne bougeait pas. Elle était comme une statue. L'adolescente allait la rabrouer et la relever de force quand les yeux d'Alba s'ouvrirent d'un coup.

Comme pétrifiée, Luna cessa de respirer. Une vague glacée ravagea son cœur.

Les yeux verts de l'enfant, à présent noirs comme deux puits sans fond, déversaient des coulées sombres et huileuses sur ses joues brunes. Sa petite bouche se tordit en un sourire hideux, dévoilant sous la lune blafarde des chicots noirâtres et grouillants de vermine.

Luna étouffa un cri derrière sa main.

— Je te remercie ! ricana l'enfant d'une voix déformée par la haine. Grâce à toi, je suis libre ! Libre !

# 18

Au royaume des dieux, Lloth se rongeait les sangs. Elle avait senti le désarroi, la panique et la peur de sa jeune protégée. Courroucée, elle aurait pu la punir ou la répudier, pourtant elle n'en avait rien fait, car elle aussi avait peur. Pour la première fois de sa longue vie de déesse, Lloth avait failli. Son énorme bévue risquait de coûter la vie à son peuple. En laissant involontairement s'introduire les hommes-rats dans Rhasgarrok, elle avait peut-être mené la cité millénaire à sa perte juste au moment où les terres du Nord étaient enfin sous son entière domination. Et, si les drows disparaissaient, elle sombrerait dans l'oubli. C'était leur foi et leur dévotion, leurs offrandes et leurs sacrifices qui la maintenaient en vie. Si elle perdait ses adorateurs, elle perdrait sa sphère.

Perdre sa sphère ! Quoi de plus horrible pour

une divinité! Lloth hurla de rage. Elle devait agir, faire quelque chose pour aider Sylnor à se débarrasser des hommes-rats. Mais quoi?

La déesse tournait en rond en faisant crisser ses pattes cuirassées sur le sol d'obsidienne de sa tour, mais aucune idée ne lui venait, car aucun des pouvoirs qu'elle avait attribués à sa jeune protégée ne pourrait lui servir dans ce cas précis. Son orbe d'énergie ne serait pas assez puissant pour foudroyer tous les hommes-rats. Il risquait par ailleurs de vider la matriarche de sa force vitale et de la tuer. Et si Sylnor se métamorphosait en araignée géante, elle se ferait vite submerger par le nombre d'ennemis et périrait sous les yeux horrifiés de son peuple. Non, décidément, ces pouvoirs étaient très insuffisants!

« Et dire que tout est ma faute! se lamenta Lloth. Si seulement j'avais pu empêcher ces sales hybrides d'envahir ma cité. J'aurais dû le faire, j'aurais dû réussir… »

Un message télépathique de Sylnor interrompit brusquement ses pensées.

— Puissante déesse, je m'apprête à commettre un acte insensé, mais je ne vois que cela pour nous sauver.

— De quoi s'agit-il? s'enquit la divinité soudain fébrile.

— Askorias, le nécromancien, avait enfermé

l'essence de Ravenstein dans une sorte de tube translucide. Il appelait ça un citrex. Je vais l'ouvrir et libérer l'esprit de la forêt pour qu'il anéantisse les hommes-rats!

Lloth suffoqua, les yeux exorbités.

— Hein? Mais tu te rends compte que c'est une folie! Les esprits n'obéissent jamais d'eux-mêmes aux mortels. Seuls les nécromanciens les plus puissants sont capables de les soumettre et de les plier à leur volonté pour leur faire accomplir leurs propres desseins. Jamais Ravenstein ne t'obéira de son propre chef, Sylnor! Jamais!

— J'en suis parfaitement consciente, mais je n'ai plus le temps de trouver un nécromancien. Askorias est mort et je n'en connais pas d'aussi doués. C'est pourquoi je me tourne vers vous, divine Lloth. Aidez-moi à soumettre Ravenstein. Liez votre puissance à la sienne, enchaînez son esprit pour le maîtriser et le contraindre à agir en notre faveur. C'est notre dernière chance!

La déesse ferma les yeux, désemparée. Jamais elle n'avait tenté de réaliser une telle communion. Jamais elle n'avait essayé de briser un esprit bénéfique pour en faire un démon. Pourtant elle n'avait pas d'autre choix. Sylnor avait raison. La situation était désespérée et c'était sa dernière chance de sauver son peuple.

— Je vais me concentrer et me transformer en énergie pure, répondit-elle à sa protégée. Lorsque je serai prête, tu ouvriras le citrex et tu libéreras l'esprit de la forêt. Alors, nous saurons si ton idée est la bonne.

Il ne s'écoula que cinq minutes avant qu'Ylaïs ne réapparaisse en haut des marches en brandissant victorieusement le citrex.

— Je l'ai, maîtresse, lâcha-t-elle, essoufflée. Voici l'instrument de votre vengeance !

Sylnor saisit le petit tube translucide, partagée entre crainte et fascination. Elle regarda en silence les ondulations grisâtres qui se mouvaient lentement à l'intérieur. Comment imaginer que l'essence d'un être aussi puissant que Ravenstein pouvait ressembler à ces infimes particules de poussière ?

— Vous ne l'ouvrez pas ? s'enquit la première prêtresse, visiblement déçue.

— J'attends le signal de Lloth. Elle va nous aider à dominer cet esprit et à le transformer en un démon qui anéantira nos ennemis.

Ylaïs et Ethel se dévisagèrent, inquiets. Ils auraient voulu dire à leur maîtresse qu'ils ne pouvaient pas se permettre d'attendre, que chaque minute qui passait voyait mourir des drows par dizaines, alors que le nombre d'hommes-rats ne cessait de croître inexorablement. Pourtant, ils choisirent de se taire. Matrone Sylnor avait passé un pacte avec Lloth. Eux, simples mortels, n'avaient plus leur mot à dire.

Le citrex au creux de sa main, Sylnor attendait le signal. Jamais son cœur n'avait battu aussi fort et aussi vite. Autour d'elle, des centaines de prêtresses, de sorciers et de guerrières envoyaient leurs projectiles magiques ou métalliques sur les hommes-rats. Les couinements aigus qui montaient des combattants indiquaient que certains étaient touchés, mais on ne voyait ni cadavres ni blessés tant la masse des assaillants était compacte.

Matrone Sylnor jeta un coup d'œil par l'une des meurtrières et s'affola. Chaque fois qu'elle regardait en bas, elle avait l'impression que le nombre d'hommes-rats avait encore augmenté. Ce qui aurait pu passer pour une illusion d'optique n'en était, hélas! pas une. Dans moins d'une heure, leurs ennemis seraient tellement nombreux qu'ils pourraient grimper les uns sur les autres pour atteindre le sommet de la muraille du monastère. Là commencerait le vrai carnage.

La matriarche se plaqua contre la pierre et épongea son front en sueur. Que faisait donc Lloth? Pourquoi lui fallait-il autant de temps pour se concentrer? N'était-elle pas la plus puissante des déesses? N'était-elle pas plus forte que n'importe quel démon?

— Matrone Sylnor, l'interpella soudain sa fidèle Ylaïs, il serait préférable que vous rentriez vous mettre à l'abri. Je crains que nous ne soyons bientôt débordés. Ils sont tellement nombreux! Nos troupes ne sauront pas contenir leur flot très longtemps.

— Il n'est pas question que je vous abandonne! rétorqua l'adolescente avec fermeté. La déesse m'a promis de nous aider. Je crois en elle. J'attendrai son signal ici, avec vous. Et, si je dois mourir, ce sera également avec vous!

Elle conjura mentalement la déesse de se presser.

«Lloth, je vous en supplie, épargnez nos vies! Et aidez-nous, par pitié!»

— Maintenant! résonna une voix caverneuse dans son cerveau, une voix si rauque et puissante que Sylnor ne la reconnut pas tout de suite.

Elle resta figée, se demandant qui lui avait parlé ainsi. Soudain, le citrex se mit à brûler la paume de sa main. Les langoureuses volutes claires étaient devenues incandescentes et s'agitaient en tous sens dans le tube transparent.

«Maintenant! réitéra la voix, tremblante d'impatience.»

Alors Sylnor comprit. D'un geste vif, elle déboucha le citrex et tendit son bras en avant, au-dessus de la muraille.

Ce qui se produisit resterait à jamais gravé dans toutes les mémoires.

Comme un tourbillon de lave en furie, un nuage écarlate jaillit du citrex en direction de la foule en contrebas. Comme un voile de sang, l'esprit de Ravenstein lié à celui de Lloth s'étendit, s'élargit et s'étira au point de recouvrir bientôt toute l'esplanade. Les hommes-rats pétrifiés de terreur virent cette masse rouge s'abattre sur eux. Certains tentèrent de fuir, mais ils furent piétinés par les autres qui ne cessaient d'arriver. Le démon ne leur laissa pas une seule chance de s'en sortir vivants. Comme une gueule monstrueuse, Ravenstein s'ouvrit et goba les âmes des hommes-rats pour s'en repaître. Le massacre ne dura que quelques secondes.

Matrone Sylnor assista au prodige en retenant son souffle. Jamais elle n'aurait cru que l'esprit de la forêt dompté par Lloth serait aussi efficace. Au pied du monastère gisaient des milliers de corps sans vie. Pas une seule goutte de sang n'avait été versée. Les hommes-rats étaient morts, vidés d'un seul coup de leur substance psychique. Ils n'étaient plus que des corps sans esprit, des carcasses vides.

En moins d'une minute, l'esprit du démon était venu à bout de la marée d'ennemis qui menaçait de submerger les murs du monastère. Ravenstein ne comptait toutefois pas s'arrêter en si bon chemin. Se nourrir d'âmes lui plaisait bien plus qu'il ne l'aurait jamais cru. La déesse ne lui avait pas menti. S'abreuver d'esprits vivants pour accroître sa puissance était réellement grisant. Il se sentait plus fort que jamais, suffisamment fort pour se diviser.

Avec une vélocité étonnante, le démon explosa en centaines de nuages écarlates qui s'éparpillèrent aussitôt dans la ville à la recherche d'âmes à dévorer.

« Ne mange aucun drow, lui rappela Lloth qui peinait à brider ses instincts carnassiers. Sinon, je te détruis ! »

La menace fit son effet. Le démon canalisa sa faim et n'attaqua que les hommes-rats. Il n'en laissa pas un seul en vie. Même ceux qui s'étaient cachés dans des caves sombres n'échappèrent pas à son appétit meurtrier. Ceux qui avaient rebroussé chemin et qui cavalaient à présent dans les dédales souterrains ne furent pas davantage épargnés.

Lorsqu'il n'y eut plus une seule âme d'homme-rat à avaler, Ravenstein reprit sa forme initiale et réintégra de lui-même sa prison de verre. Il n'aurait pas trop de quelques années pour digérer tous les esprits ingurgités. Lloth lui avait promis que la nouvelle matriarche ferait régulièrement appel à ses services et qu'à chaque fois le festin serait inoubliable.

Sylnor observa avec curiosité la petite bille d'un rouge profond qui reposait sagement au fond du citrex avant de le reboucher. Alors, les cris de joie qui résonnaient autour d'elle et montaient de toute la ville en liesse lui parvinrent enfin.

— Gloire à matrone Sylnor ! Gloire à Lloth !

Tous les drows scandaient un même chant en leur honneur.

Le cœur soudain aussi léger qu'une plume, Sylnor ferma les yeux et remercia mentalement la déesse. À elles deux, elles avaient sauvé Rhasgarrok et la race des drows. À présent, son peuple n'avait plus aucun ennemi, ni au-dessous ni au-dessus. Les terres du Nord étaient les leurs et personne ne viendrait plus remettre en question leur suprématie. Ou, s'ils osaient le faire, leur âme finirait au fond de celle de Ravenstein ; maintenant, le puissant démon était au service de Lloth. Il ne se souvenait même plus d'avoir un jour protégé une grande et belle forêt...

Lorsque Sylnor ouvrit de nouveau les yeux,

elle vit Ethel lui sourire. L'admiration qu'elle lut dans son regard brillant la remplit de fierté. Elle bomba le torse et lui rendit son sourire, confiante en l'avenir.

# 19

Le joli visage d'Alba s'était mué en un masque de cauchemar, ravagé par l'avidité et la haine. Luna recula, horrifiée. Au fond de son esprit, elle devinait ce qui s'était produit, bien que son cœur refusât de se l'avouer. Elle aurait voulu s'enfuir très loin de là, mais il lui était impossible de laisser la fillette entre les griffes de Djem !

— Tu sembles surprise de me voir, reprit la voix masculine sur un ton railleur. Pourtant, c'est toi qui as accompli le rite de réincarnation.

Luna blêmit.

— Je n'ai rien accompli du tout ! se défendit-elle. Je voulais juste t'offrir une sépulture digne de ton rang et te permettre ainsi de rejoindre le royaume des morts.

Derrière les traits déformés d'Alba, Djem éclata d'un rire mauvais.

— Foutaises! Si tu voulais simplement m'enterrer, pourquoi avoir attendu le crépuscule d'une nuit de pleine lune? Surtout, pourquoi m'avoir offert ce corps jeune et vigoureux?

— Tu racontes n'importe quoi! Je ne t'ai pas offert Alba, tu l'as prise, tu t'es emparée d'elle comme un lâche. Ce n'est qu'une enfant…

Le visage hideux se déforma davantage. Des pupilles dilatées sourdait une encre noire qui se déversait, épaisse et huileuse, sur les joues et le cou de l'enfant. Djem semblait furieux.

— Moi aussi, je n'étais qu'un enfant quand mon père m'a sacrifié! hurla-t-il. Disons que nous sommes quittes: je n'ai fait que reprendre ce qu'il m'avait pris!

— Mais Alba n'y est pour rien; elle est innocente. Regarde cette croix et ces fleurs qu'elle avait déposées sur ta tombe. Cette enfant n'est qu'amour et gentillesse. Pourquoi t'emparer de son corps?

— Parce que je ne pouvais prendre le tien, rétorqua-t-il, acerbe. Note que j'aurais préféré. Tu es plus âgée, plus forte et surtout plus puissante. Ta capacité de repousser mes gardiens est réellement fascinante. Mais, comme c'est toi qui as initié cette messe noire, je ne pouvais pas m'emparer de toi. C'est une des règles tacites qui unit les morts et les nécromanciens.

Un spasme nauséeux retourna l'estomac de Luna. Une messe noire? Les nécromanciens?

— Tu sembles étonnée, se moqua Djem. Mais bon sang ne saurait mentir!

— Comment ça? paniqua Luna.

— Derrière ta peau claire coule du sang drow, je le sens. À tout hasard, tu n'aurais pas un aïeul nécromancien?

Luna crut qu'elle allait défaillir. Ce maudit Askorias, le père de son père, lui aurait-il involontairement légué quelques pouvoirs maléfiques?

— Tu étais celle que j'attendais, reprit Djem, victorieux. Tu m'as libéré et je t'en serai à jamais reconnaissant.

L'adolescente suffoqua. Elle qui avait cru agir pour le bien de tous, elle avait en réalité commis une énorme erreur. Au lieu de libérer la région de ce fantôme, elle l'avait libéré, lui, et maintenant il allait chercher à se venger en massacrant tout le monde. Il fallait qu'elle agisse, et vite. Mais, si elle utilisait son pouvoir contre ce démon, ne risquait-elle pas de tuer Alba? Désemparée, elle décida de gagner du temps en poursuivant la conversation. Cela lui permettrait de réfléchir à une autre manière de se débarrasser du revenant.

— Tu revis, c'est vrai, fit-elle avec morgue, mais regarde-toi! Tu es prisonnier du corps malingre d'une enfant de dix ans. Oh, qu'il est terrifiant, le grand Djem!

— Tais-toi, sorcière! cracha le prince en avançant vers elle avec un air menaçant. Je suis peut-être dans un corps ridicule, mais pas pour longtemps, car, lorsque je réveillerai ma puissance, tous trembleront devant moi! Toi aussi!

— Je ne te crains pas, déclara-t-elle en sortant un poignard de sa chemise.

— Quelle ironie! fit Djem en ricanant. Tu as bravé tous les interdits pour me sauver et à peine suis-je en vie que tu ne rêves plus que de me tuer. Et Alba, qu'en fais-tu? Sache que, si tu me tues, j'emporterai son âme avec moi dans les flammes de l'enfer. Cette petite sera damnée pour l'éternité. Dommage, si jeune!

Luna sentit des picotements d'effroi lui hérisser les poils de la nuque. Elle devait absolument trouver quelque chose pour contrer Djem. Elle aurait donné très cher pour que les sept gardiens qu'elle avait chassés reviennent immédiatement de là où elle les avait envoyés.

Elle s'efforça de fixer les deux orbites noires et huileuses sans ciller.

— Que comptes-tu faire, maintenant que tu es libre?

— Poursuivre ma vengeance, exulta le

démon en ouvrant la bouche dans un sourire monstrueux. Je me suis déjà nourri des âmes des proies que mes chants désespérés attiraient, mais cette maigre pitance n'a pas assouvi ma soif de vengeance. Pour tout te dire, je vais commencer par me débarrasser de ces stupides elfes, puis j'irai massacrer les humains qui se croient en sécurité loin de ma citadelle.

— Mais les elfes ne t'ont jamais rien fait! s'épouvanta Luna. Ils sont innocents!

— Personne n'est innocent. Ces viles créatures ont profité de l'exil des humains pour s'approprier ma terre! Ma terre, tu entends? Après, ils ont détruit les tours de ma forteresse pour empêcher quiconque d'y venir et de me délivrer. Ils n'échapperont pas à ma colère!

Si la situation n'avait pas été aussi dramatique, Luna aurait éclaté de rire. De quels exploits ce misérable avorton se croyait-il capable? Comment, avec un corps aussi frêle, imaginait-il pouvoir massacrer tout le monde? Les elfes et les humains auraient tôt fait de le maîtriser et de le condamner à mort. Elle décida alors que la comédie avait assez duré. Elle se concentra et fit appel à sa force mentale.

— Tu es vraiment pathétique! déclara-t-elle en libérant une onde d'énergie juste dosée pour lui faire perdre connaissance.

L'orbe jaillit de son esprit et frappa Djem de

plein fouet. Pourtant, le petit corps d'Alba ne trembla même pas. Il resta immobile, comme si rien ne s'était produit.

— Ha! C'est tout ce dont tu es capable, sorcière? Et tu crois vraiment pouvoir m'arrêter avec ce genre de sortilège pour débutant?

Piquée au vif, Luna banda à nouveau son esprit pour assommer le démon une bonne fois pour toutes. Dès qu'elle sentit l'énergie affluer en elle, elle la libéra brusquement et la propulsa vers la silhouette enfantine en espérant ne pas blesser Alba. Mais, aussi surprenant que cela parût, le corps de l'enfant ne bougea pas d'un millimètre. Il absorba l'énergie, impassible, comme pétrifié.

— Tu me déçois, petite drow! fit Djem en souriant. Bon, eh bien, si c'est tout ce dont tu es capable, je vais devoir te quitter. J'ai une vengeance à assouvir, moi.

Il lui tourna brusquement le dos et se dirigea vers le rempart de l'autre côté du jardin.

Luna sentit sa fureur décupler. L'espace d'une seconde, elle songea qu'il valait mieux sacrifier une vie plutôt que d'être responsable d'un génocide. Elle ferma les yeux et puisa à regret dans ses dernières forces toute l'énergie qu'il lui restait.

De dos, Djem souriait, comme s'il n'attendait que cela.

Lorsque l'énergie le foudroya, le corps d'Alba tressaillit sous l'impact. Djem sentit la décharge pénétrer l'enveloppe charnelle qu'il s'était appropriée. Son âme explosa. Elle explosa de joie, de vie et de puissance. Il fit volte-face et darda son regard infernal sur l'adolescente pantelante qui le fixait toujours.

Luna n'en revenait pas de le voir encore debout. Comment se pouvait-il que le démon résistât à son pouvoir ? Seule Lloth avait jusqu'alors pu contrer sa force intérieure.

L'adolescente eut soudain la désagréable impression de voir grandir le corps d'Alba. C'était pourtant impossible. Elle cilla, puis se frotta les yeux, persuadée d'être victime d'une hallucination. Mais la vérité lui apparut dans toute son horreur. Le démon s'était nourri de son énergie et, à présent, il grandissait à vue d'œil.

Bientôt il dépassa sa taille et celle d'un elfe adulte pour devenir aussi grand et fort qu'un troll. Des membres délicats d'Alba, il ne restait rien. Les muscles avaient gonflé tout en s'étirant et la peau s'était couverte de poils noirs et drus. Il émanait de ce corps gigantesque une impression d'invulnérabilité qui effraya Luna.

— Une fois encore, je te remercie, sorcière, tonna la voix rauque du démon. Tu te moquais de mon corps malingre, mais vois comme je suis devenu fort! Grâce à ton pouvoir que j'ai absorbé, je suis maintenant aussi puissant qu'un dragon.

Affaiblie et déroutée, Luna resta pétrifiée d'horreur. Qu'avait-elle fait? Par Eilistraée, qu'avait-elle fait?

Le monstre se précipita alors vers elle en riant comme un dément. Ses larges mains tendues en avant rêvaient déjà d'enserrer le cou de l'elfe pour le briser d'un geste sec.

À bout de force, elle fut incapable de contrer l'attaque. Elle tomba à genoux et ferma les yeux pour ne pas voir sa mort arriver. Elle avait échoué. Sa présomption et son entêtement avaient eu raison de ses espoirs fous. Si seulement elle n'en avait pas fait qu'à sa tête!

Curieusement sa dernière pensée ne fut ni pour Elbion, ni pour Kendhal, ni pour sa mère qui l'attendait à Océanys, mais pour son père, Elkantar, qui l'attendait là-bas, à Outretombe.

«J'arrive, père!» songea-t-elle juste avant d'entendre le démon hurler de rage.

Par réflexe, elle rouvrit les yeux. La scène qui se déroulait devant elle la figea de stupeur.

Le géant remuait des bras en donnant des coups de poing dans le vide, comme s'il était attaqué par des nuées de guêpes. Il gesticulait de façon désordonnée, grognait et haletait

bruyamment. Une salive grisâtre et nauséabonde maculait son menton.

Luna ne comprit pas tout de suite ce qui
provoquait la fureur de Djem.

— Fuis, mortelle ! cria soudain une voix
qu'elle reconnut.

Les gardiens ! Luna sentit ses forces revenir et
se hâta de se remettre debout.

— Non, je vais vous aider à le tuer ! déclara-
t-elle en resserrant sa prise autour de son
poignard.

— Tu ne trouves pas que tu en as assez fait
pour cette nuit ? tonna alors un des sept fantômes. Quitte cet endroit immédiatement, ou
nous te tuerons aussi !

Luna resta interdite.

— Mais nous sommes dans le même camp !
cria-t-elle, dépitée de se voir traiter comme
une ennemie. Je voulais juste l'aider à…

— À reprendre vie ? la coupa le gardien. Eh
bien, tu as gagné ! Malgré tous nos efforts, nos
mises en garde et nos attaques, tu t'es obstinée,
sombre idiote ! Maintenant, tu as en face de toi
un monstre rempli de haine qui ne reculera
devant rien pour assouvir sa vengeance !

Deux larmes acides glissèrent sur le visage
défait de l'adolescente. Elle lâcha son arme.

— Je vous jure que je… je ne savais pas…
sanglota-t-elle.

— Tes sanglots ne servent plus à rien, à présent, tonna la voix avant de s'éteindre dans une longue plainte lugubre.

Luna retint son souffle et chercha le démon du regard. Elle l'aperçut près d'une tour à moitié éboulée, encore plus grand et plus puissant que lorsqu'il avait voulu se jeter sur elle. Elle étouffa un cri d'effroi en voyant le monstre porter à sa bouche quelque chose d'à peine visible, sans doute le corps du dernier gardien fantôme, pour le faire disparaître dans les ténèbres de sa bouche.

Djem poussa alors un hurlement de rage qui fit vibrer tous les arbres du jardin, même le chêne plusieurs fois centenaire à côté duquel se trouvait encore Luna. De colère, le géant abattit son poing gigantesque sur la muraille qui se fendilla sous l'impact. Il recommença avec plus de violence, encore et encore, jusqu'à ce que le rempart cède et s'écroule complètement, libérant le passage à sa monumentale carrure.

« Comment le corps d'Alba a-t-il pu devenir cette chose abominable que même les gardiens n'ont pas pu arrêter ? se dit Luna, terrifiée. Elle est perdue, maintenant, tout comme son peuple… Et dire que tout est ma faute ! Je ne me le pardonnerai jamais. Jamais ! »

Alors qu'elle fondait en larmes, la terre se

mit à trembler. Lorsqu'elle leva les yeux, elle comprit que sa dernière heure était vraiment arrivée, cette fois. Personne ne pourrait plus venir la sauver.

Le colosse qui la dominait de toute sa hauteur la toisait avec commisération. Allait-il l'écraser sous son pied, ou abattre lourdement son poing sur elle ? Luna serra les dents, prête à affronter la douleur. Elle pria cependant pour que sa mort soit instantanée.

— Ne pleure pas ! Réjouis-toi, au contraire !

L'adolescente lui renvoya un regard dérouté.

— J'ai enfin anéanti ces maudits gardiens qui me pourrissaient la vie depuis des siècles. Tu peux me remercier, car, si je ne l'avais pas fait, ils t'auraient sûrement tuée, pauvre petite chose !

Luna sécha ses larmes d'un geste de rage et le regarda avec tout le mépris dont elle était encore capable.

— De toute façon, tu vas me tuer. Alors, toi ou eux, quelle différence cela fait-il ?

— Moi, te tuer ? Certainement pas ! s'offusqua Djem. Je te l'ai déjà dit. Tu m'as ramené à la vie et, même si ton cœur est plein de haine à mon égard, moi, je n'éprouve que pitié pour toi, misérable petite sorcière. Je vais te laisser en vie afin que tu puisses admirer le spectacle de désolation et de mort que je vais semer sur ma route. Bientôt, toute cette côte baignera dans le sang, et ce sera grâce à toi!

Le démon lui offrit le spectacle de son sourire monstrueux avant de faire demi-tour. Luna le regarda s'éloigner, vaincue. Elle était vidée mentalement et ne pouvait plus faire appel à son pouvoir. De toute façon, si le monstre absorbait son énergie, ce n'était guère la peine de lui redonner des forces supplémentaires. Soudain, ses yeux tombèrent sur son poignard qui gisait dans l'herbe.

«Perdue pour perdue...» se dit-elle, consciente du désespoir qui imprégnait son geste.

Sans un bruit, elle ramassa l'arme et se précipita vers le dos massif du colosse qui franchissait le mur éventré. Forte de son élan, elle bondit et planta la lame aussi profondément qu'elle le put entre les deux omoplates du démon. L'os craqua, tandis qu'une gerbe de sang chaud inondait le visage de Luna.

Transpercé de douleur, Djem poussa un hurlement qui déchira la nuit. Il se retourna vivement et, du revers de la main, balaya la traîtresse qui l'avait frappé dans le dos. Luna atterrit dix mètres plus loin dans un parterre de fougères. Sa tête heurta une pierre et elle perdit connaissance.

— Pourquoi? gronda Djem, les traits

déformés par la souffrance. Je t'ai épargnée et toi tu me trahis! Pourquoi?

Le corps du colosse s'arqua brusquement. Dans un geste désespéré, il tenta d'arracher le poignard profondément fiché dans ses chairs, mais la douleur intolérable qui dévastait son dos en sang l'empêchait d'atteindre la lame. Il prit alors conscience qu'il ne pourrait ôter seul ce poignard, qu'il allait se vider de son sang et mourir là avant d'avoir pu assouvir sa vengeance. Une vague de haine le submergea. Il fonça droit vers Luna en hurlant:

— Maudite! Je vais t'arracher les yeux et les manger! Je vais dévisser ta tête et la broyer! Je vais arracher tes membres et les réduire en bouillie! De ton corps, il ne restera plus rien!

Le colosse se précipita sur Luna, toujours inerte. D'un geste où perçait toute la violence de sa colère, il attrapa la jeune fille inconsciente. Mais il hésita une seconde, décontenancé. Il aurait préféré qu'elle entende ses paroles, qu'elle le supplie de l'épargner, qu'elle crie, qu'elle se débatte, qu'elle hurle, qu'elle gémisse de douleur.

Cette seconde d'hésitation lui fut fatale.

Un fantôme qu'il n'avait pas vu arriver appuya de toutes ses forces sur le poignard toujours fiché dans son dos. La lame aiguisée perfora le cœur de Djem et défonça sa cage thoracique pour rejaillir au milieu de sa poitrine béante dans une gerbe écarlate. Le colosse suffoqua, tressauta dans un dernier soupir et retomba lourdement au sol.

Toujours prisonnière de sa main qui l'enserrait, Luna ne vit rien de tout cela. Elle était loin, très loin de là, en compagnie de l'esprit qui lui avait sauvé la vie.

— Sylnodel, ma fille, reviens à toi, fit Elkantar d'une voix douce.

— Père? balbutia Luna sans trop savoir si elle rêvait ou si elle était morte. Où sommes-nous?

— Tu m'as appelé à ton secours et je suis venu. Djem n'est plus. Grâce à ta sépulture et à mon geste, son âme maléfique est allée rejoindre le palais des brumes. De la tour des Monstres, elle ne ressortira jamais plus.

— Et son corps?

— Son corps était mort depuis longtemps.

— Non, je veux parler de celui d'Alba! s'alarma Luna.

— Elle est en vie, mais ne tarde pas trop. Tu es la seule à pouvoir encore la sauver.

Luna se réveilla en sursaut. Elle avait mal partout. Pas une seule partie de son corps meurtri ne semblait épargnée par la douleur, mais elle ne voulait pas tenir compte de l'élancement lancinant de ses blessures. Elle rampa vers le cadavre du colosse avec l'espoir fou d'assister à un prodige. Elle espérait voir le corps monumental rapetisser, redevenir la frêle enveloppe charnelle d'Alba et se remettre à respirer, à bouger pour se relever. Hélas, rien de tel ne se produisit. Le miracle ne s'accomplit pas.

Le démon était mort, mais son corps aussi. Il gisait, énorme, difforme, immobile, figé par la camarde dans toute sa laideur. Un rayon de lune illuminait le rictus de haine sauvage qui défigurait son visage, certainement beau autrefois, alors qu'il était un prince adulé, le troubadour qui séduisait les courtisans.

Luna comprit soudain que ce corps n'était plus celui d'Alba. C'était bel et bien Djem qui gisait à ses pieds. La question était de savoir où se trouvait celui de l'enfant.

Dans la tombe?

Faisant taire son corps qui hurlait à chacun de ses mouvements, Luna bondit en direction de la sépulture improvisée sous le grand chêne. Elle arracha la croix qu'elle jeta au loin, plongea ses mains dans la terre meuble et se hâta de creuser dans l'espoir d'y trouver le corps de la fillette enterrée vive. Ses gestes étaient saccadés, imprécis, mais extrêmement rapides et efficaces. Lorsque ses doigts rencontrèrent une surface souple et chaude, elle sut que son intuition ne l'avait pas trompée. Elle redoubla d'efforts et exhuma le visage souillé d'Alba. La petite semblait endormie. Luna craignit d'être arrivée trop tard et elle éclata en sanglots.

— Alba, je t'en prie, suffoqua-t-elle en dégageant prestement le reste du petit corps, ne meurs pas. Reste avec moi! Eilistraée, sauve-la, je t'en supplie!

Ses doigts tremblants essuyèrent l'humus sombre et gras qui maculait le visage livide de l'enfant. Son cœur n'avait jamais battu aussi vite ni aussi fort. À chaque pulsation, il menaçait de jaillir hors de sa poitrine.

— Alba, cornedrouille! accroche-toi, supplia-t-elle. Reviens à toi!

Soudain les yeux verts de l'enfant papillonnèrent.

— On a réussi? demanda-t-elle dans un souffle.

Folle de joie, Luna serra l'enfant contre elle et caressa ses cheveux et son dos maculés de terre.

— Oui, ma fripouillote, le vilain prince est parti et plus jamais il ne nous fera de mal. Je te le promets.

— Alors, pourquoi tu pleures?

— Ce sont des larmes de bonheur, Alba, parce qu'on a réussi. Toutes les deux.

284

Le sourire de la fillette illumina la nuit.

Luna fixa la lune pour remercier sa déesse protectrice, mais ce ne fut pas Eilistraée qui lui apparut. Dans les étoiles scintillantes se dessina le visage d'Elkantar. Son père lui avait sauvé la vie pour la deuxième fois. Au-delà de la mort, il venait de lui prouver une fois encore son amour. Un sentiment de plénitude absolue envahit Luna juste avant qu'elle s'évanouisse.

# 20

Un rayon de soleil éclaira le visage de Luna. Elle s'étira nonchalamment et repoussa le drap léger qui la couvrait. Son regard se posa sur la fenêtre, puis sur le riche plafond à caissons lambrissés. Elle soupira d'aise en repensant à tout le chemin parcouru pour en arriver là.

Consciente qu'elle avait déjà trop traîné au lit, elle se leva d'un bond et fila vers son armoire pour choisir une jolie tenue. Ses pieds nus savourèrent le contact épais et soyeux du tapis qui recouvrait le parquet. Elle enfila la robe turquoise en algues tressées que Sylmarils lui avait offerte pour ses seize ans et chaussa ses sandales de chanvre. D'une main experte, elle démêla sa longue chevelure qu'elle noua sur le côté à l'aide d'un ruban.

Elle quitta prestement sa chambre. La coursive était à l'ombre, mais l'air déjà chaud annonçait une très belle journée. L'été venait à peine d'arriver, mais il promettait d'être particulièrement torride. Pourtant, après les violentes tempêtes qu'ils avaient essuyées au cours de l'hiver précédent, personne n'aurait songé à se plaindre.

Luna jeta un coup d'œil par-dessus la balustrade. Dans la vaste cour intérieure du château, la vie battait déjà son plein. Une dizaine d'elfes sylvestres se relayaient pour porter en cuisine d'énormes sacs de farine et des cagettes de fruits. S'ils avaient refusé de quitter leur village pour s'installer dans la forteresse, ils acceptaient de bonne grâce de venir livrer les produits de leurs potagers en échange d'autres denrées.

Luna reconnut aussi Kern qui livrait ses caisses de poissons quotidiens. Elle songea que Gabor ne devait pas être loin, à moins qu'il ne soit encore en train de courtiser la jeune elfe sylvestre aux longs cheveux couleur de jade dont il s'était entiché. Elle avisa soudain Viurna et lui adressa un signe de la main, mais la vieille femme ne la remarqua pas ; elle était en grande discussion avec le sage Syrus. Sans doute causaient-ils remèdes ou potions. Luna sourit, amusée, avant de se décider à descendre.

Elle passa devant la chambre de Kendhal qui jouxtait la sienne et jeta un regard vers l'une des fenêtres. La pièce était vide, mais cela n'était pas surprenant. Depuis qu'ils s'étaient installés là, son ami avait pris l'habitude de se lever aux aurores afin de profiter de chacune de ses journées pour aider ses compagnons à restaurer la citadelle. Le travail qu'ils avaient accompli forçait d'ailleurs l'admiration de tous. La forteresse n'avait aujourd'hui plus rien à voir avec la sinistre ruine que Luna avait découverte huit mois auparavant.

Après la mort de Djem, les elfes sylvestres, éperdus de reconnaissance, avaient accepté de bon cœur la présence de Luna et de ses amis à Ysmalia. Lorsqu'ils avaient pris la décision de restaurer la citadelle, Gran'ma et les siens avaient approuvé, leur prêtant même main-forte pour les travaux. Secondé par Hoël, Luna et Allanéa, Kendhal avait alors pris les choses en main, pendant que Kern, Gabor, Darkhan, Thyl et Sylmarils voguaient vers Océanys afin de retourner chercher les autres.

La restauration de la forteresse, rebaptisée Belcastel, s'était faite sur trois plans.

Il avait d'abord fallu remettre en état les pièces poussiéreuses et parfois ravagées par les colères des fantômes gardiens pour pouvoir y vivre dans des conditions décentes. Les elfes avaient dû trier, réparer ou jeter un nombre incalculable de meubles, d'objets, de lustres et de tableaux. Tandis que les uns ponçaient les boiseries, recollaient le parquet, clouaient et repeignaient le mobilier abîmé, d'autres frottaient les dalles du sol pour leur redonner leur éclat, pendant que certains frappaient les tapis et les tapisseries pour raviver leurs couleurs.

Au début de l'hiver, après avoir fini de désobstruer l'accès principal, les plus costauds avaient décidé de s'attaquer à la restauration des tours. Les pluies diluviennes ne les avaient pas empêchés d'évacuer les pierres et les gravats qui bouchaient les escaliers. Ce travail s'était révélé long, ingrat et souvent compliqué, mais personne n'avait abandonné. À l'arrivée des beaux jours, on avait commencé à reconstruire les quatre tours d'angles, ainsi que le donjon central. Les édifices s'étaient à nouveau élevés au-dessus des remparts, fiers et massifs. Les fanions multicolores qui flottaient aujourd'hui au vent montraient à quel point le changement était radical.

Au printemps, les elfes sylvestres avaient décidé de remettre le jardin en état. Ils s'étaient vaillamment attaqués aux ronciers, aux orties et aux autres mauvaises herbes. Sans relâche, ils avaient retourné la terre, bêché, ratissé et planté, de manière à dessiner de jolies allées sablonneuses entre les parcelles du potager.

Si de beaux légumes poussaient maintenant à l'abri des remparts, c'était uniquement grâce à leurs efforts. Toutefois, ils avaient pensé à laisser un large espace semé de pelouse où les enfants aimaient venir jouer et s'ébattre.

Lorsque les elfes restés à Océanys avaient commencé à arriver par vagues successives, après la saison des tempêtes pour éviter tout naufrage, ils n'en avaient pas cru leurs yeux. Ils n'espéraient certainement pas trouver une terre où les attendaient un château suffisamment grand pour loger tout le monde et une nouvelle communauté d'elfes. Après la joie des retrouvailles et un immense banquet donné chaque fois en leur honneur, les nouveaux arrivants s'installaient dans une chambre ou un appartement et, après une bonne nuit de repos, ils prêtaient de bon cœur leur concours aux restaurations entreprises. Grâce à eux, notamment, les maisons de Belcastel avaient été nettoyées, restaurées et repeuplées !

Certains océanides, séduits par les paysages inédits qui s'offraient à eux, avaient décidé de rester quelque temps à Ysmalia. Désireux de se rendre utiles, ils avaient également mis la main à la pâte en explorant le réseau de rivières souterraines qui coulaient sous la citadelle et alimentaient le puits. L'étang en contrebas du rocher fut aménagé par leurs soins. Les berges nettoyées offraient à présent une agréable promenade ombragée.

Tout en descendant les marches de l'escalier principal, Luna songea qu'elle irait bien y faire un petit tour dans la journée en compagnie d'Haydel, de Khan et de Cyrielle qui avait accouché le mois précédent. Sa petite fille, Lyla, était un amour de bébé. Elle avait la peau claire et les yeux rieurs de sa mère. Seules ses ailes noires rappelaient le sang de Platzeck, son père. Edryss, qui avait béni leur union à Océanys, était la plus heureuse des grands-mères.

Une fois dans la cour intérieure, Luna croisa Edryss et Ambrethil qui remontaient, les mains chargées de linges propres. Ça aussi, c'était quelque chose de totalement nouveau. Depuis que leur communauté s'était installée à Ysmalia, les frontières sociales avaient été très nettement émoussées. Chacun accomplissait ses propres tâches domestiques sans l'aide de serviteurs attitrés. On s'aidait, on s'épaulait, on se rendait mutuellement service, mais plus personne n'était aux ordres de tel ou tel noble. C'était comme si leur séjour à Océanys ainsi que leur belle collaboration pour restaurer la forteresse avaient remis tout le monde sur un pied d'égalité et mis les compteurs à zéro. Même Hérildur, dans ses rêves les plus fous, n'aurait pas osé espérer une telle harmonie.

Affamée, Luna pénétra dans les cuisines en ébullition. Le chef qu'elle estimait beaucoup était en grande discussion avec Sylmarils et Allanéa. L'adolescente s'empara d'une brioche toute chaude et s'approcha d'eux. Elle sourit en se rendant compte que les deux jeunes femmes lui rebattaient encore les oreilles avec leur banquet de mariage. Ses deux amies allaient en effet se marier dans quelques semaines, le même jour, avaient-elles convenu, et elles voulaient absolument que tout soit parfait.

— Pour le dessert, je voudrais bien une mise en scène autour de la mer, disait la belle océanide.

— Oui, mais pas de gâteau à base d'algues, précisa l'avarielle. Je voudrais quelque chose de subtil et de léger, de très aérien quoi !

— Ne vous inquiétez pas, mesdemoiselles, intervint le chef, je crois avoir trouvé de quoi vous mettre d'accord. Que diriez-vous d'une mousse de framboises sculptée en vagues, surmontée d'une génoise aux agrumes en forme de galion aux voiles de pâte d'amande, le tout agrémenté d'une chantilly au miel pour imiter les embruns ?

Les deux futures mariées poussèrent des cris de ravissement, séduites par l'imagination du cuisinier.

— Eh, les filles, cessez donc de harceler

notre pauvre ami! s'écria Luna. Faites-lui un peu confiance. De toute façon, quoi qu'il fasse, ce sera merveilleux et délicieux. Allanéa, souviens-toi des pièces montées enchanteresses qu'il avait réalisées pour Assyléa et Darkhan.

— Tu as raison, concéda l'avarielle en rougissant. Nous sommes peut-être un peu nerveuses.

— Oui, désolée, renchérit Sylmarils. Mais je tiens tellement à ce que tout soit parfait. N'oublie pas que mon père et mon frère feront le voyage exprès pour l'occasion. Je voudrais qu'ils soient impressionnés, et surtout que Fulgurus me donne sa bénédiction.

Luna hocha la tête en signe d'assentiment, pendant que le cuisinier s'échappait discrètement pour retourner à ses fourneaux.

— Au fait, qu'ont décidé tes cousins? demanda Luna pour faire diversion.

— Si Kern hésite encore à s'installer à Ysmalia, pour Gabor c'est tout vu, fit Sylmarils en riant. Ses plans de village sous-marin sont prêts. Il a même commencé à en délimiter le tracé dans le lagon. Les travaux prendront certainement du temps, mais cela devrait être magnifique.

— Tu iras t'installer là-bas avec Thyl?

L'océanide haussa les épaules.

— Nous n'en avons pas encore discuté. Mais, tu sais, je me sens bien à Belcastel. Quand mes nageoires me démangent trop, la mer n'est qu'à une demi-heure de marche d'ici.

— Moins si je te porte! ajouta Allanéa en souriant, complice.

— Bon, il faut que j'y aille, déclara Luna en s'emparant d'un biscuit aux amandes doré à souhait qui sortait du four. J'ai rendez-vous avec Kendhal.

— Ah bon? s'étonna Allanéa.

— Oui, pourquoi?

— Voilà deux heures déjà que Kendhal, Darkhan, Platzeck et nos futurs époux sont partis en repérage. Tu sais, pour la muraille…

Luna grimaça de dépit. Elle avait complètement oublié que, à la suite de leur dernier conseil, les cinq amis avaient décidé d'aller voir sur le terrain s'il était possible d'édifier un rempart afin de délimiter et de protéger le territoire des elfes contre d'éventuelles incursions humaines.

— Je ne suis pas convaincue que ce soit la meilleure chose à faire, ronchonna Luna. Tant que les humains croiront l'endroit hanté par le prince maudit, ils n'y mettront pas les pieds, c'est sûr!

— On n'est jamais trop prudent, Luna, l'admonesta Allanéa. Je suis d'avis qu'il vaut mieux anticiper. Tant pis, si on élève une construction pour rien! Et puis, si Laltharils avait été entourée de remparts, les drows ne l'auraient peut-être pas prise aussi facilement.

— Oui, tu as sans doute raison, concéda l'adolescente.

— Dis, Luna, tu viens voir Assyléa avec nous? Il paraît qu'elle nous a sélectionné des tissus fantastiques pour nos robes de mariées. J'ai hâte de voir ça!

Luna lui répondit d'un sourire pour gagner du temps. Les préoccupations matrimoniales de ses amies commençaient à l'agacer, mais pour rien au monde elle n'aurait voulu leur faire de peine. Soudain elle se rappela qu'elle avait une excuse toute trouvée:

— Oups, désolée, je viens de me rappeler que ce soir je suis invitée à l'anniversaire d'Alba. Mais je n'ai pas encore son cadeau.

— Pourquoi ne lui offres-tu pas un gâteau aux algues? suggéra Sylmarils.

— Comme si ça pouvait plaire à une jeune fille de onze ans! pouffa Allanéa. Il vaudrait mieux du parfum ou un joli foulard en soie.

— Ne vous faites pas de souci, les coupa Luna en s'éloignant prestement. J'ai ma petite idée. Bonne journée, les filles!

Elle s'échappa de la cuisine en soufflant de soulagement. Ses amies étaient adorables, mais un peu stressées en ce moment. Elle regretta pourtant de leur avoir menti. Elle n'avait en effet aucune idée de ce qu'elle allait bien pouvoir offrir à Alba. Elle voulait pourtant marquer le coup.

En passant devant le puits qui se trouvait au centre de la cour, elle constata à quel point elle était assoiffée. Les pâtisseries qu'elle venait d'engloutir étaient succulentes, mais un peu trop sucrées. Elle remonta un seau d'eau fraîche et but avec avidité. Elle s'engagea ensuite dans l'étroit couloir qui longeait les cuisines pour déboucher dans la salle de banquet. Avec ses deux immenses cheminées à chaque extrémité, elle faisait office de réfectoire lors des grandes soirées festives. Ce serait sûrement là qu'on célébrerait les noces de ses amies.

Sans hésiter, Luna ouvrit la porte du milieu et dévala l'escalier qui menait au jardin. Cet endroit paisible, propre et bien agencé, n'avait plus rien à voir avec le théâtre morbide où elle avait failli mourir, la nuit où Djem s'était réincarné. Même si ses souvenirs étaient encore vivaces, elle avait exorcisé ses peurs, de sorte qu'elle pouvait à présent revenir là sans crainte.

Installées parmi les fleurs à l'ombre du chêne gigantesque, Haydel et Alba, qui avaient quasiment le même âge, jouaient avec Khan et les louveteaux sous l'œil vigilant de leur mère, Scylla. L'adolescente s'empressa de les rejoindre.

Les filles et Khan l'accueillirent avec force cris de joie, cependant que les loups lui sautèrent au cou en jappant de bonheur et en léchant son visage comme ils le faisaient autrefois. Mais Jek, Kally et Naya n'étaient plus vraiment des louveteaux. Ils avaient atteint leur taille adulte et ne se rendaient pas compte de leur force. Luna tomba à la renverse, les trois loups sur elle.

— Du calme, les monstres ! s'écria leur mère en colère. Vous allez nous l'abîmer ! Vous savez vous montrer calme avec Khan et les filles. Pourquoi n'agissez-vous pas de même avec Luna ?

Les trois jeunes loups s'immobilisèrent aussitôt, penauds, et reculèrent, la queue entre les pattes.

— Ne les réprimande pas, Scylla, fit Luna en se relevant, un peu étourdie. Ils ne m'ont pas fait mal. Ils ont juste oublié leur taille et leur force. Mais c'est normal, ils sont si jeunes encore !

— Quand on pense qu'ils ont le même âge que Khan qui marche tout juste ! plaisanta Haydel. Quelle différence entre les loups et les elfes !

Luna s'assit à côté d'elles et attira le fils de

Darkhan et Assyléa à elle pour lui faire des câlins. Elle adorait son petit cousin qui le lui rendait bien.

— Lulu! Lulu! babilla-t-il en posant sa petite tête ronde sur l'épaule de Luna. Khan t'aime fort, Lulu!

— Moi aussi, je t'aime, mon fripouillot. Mais il va être temps que tu m'appelles Luna et non plus Lulu. Ça fait bébé et tu es un grand garçon, maintenant!

L'enfant hocha la tête avec un tel sérieux que tous éclatèrent de rire.

Ils restèrent là longtemps, à profiter de l'insouciance de ce moment de grâce où rien d'autre ne comptait que la joie et la vie. Alors que les filles s'amusaient à poser Khan sur le dos des loups qui ne demandaient que cela, Luna se rapprocha discrètement de Scylla.

— Tu as des nouvelles d'Elbion? lui glissa-t-elle.

— Ne t'inquiète pas autant pour ton frère, dit la louve grise en esquissant son sourire si particulier. S'il a décidé d'accompagner Darkhan et Kendhal dans leur expédition, c'est qu'il s'en sentait capable. Tu le sais comme moi, le traitement mis au point par Viurna semble tenir ses promesses. Même si ton frère ne retrouvera jamais sa jeunesse d'antan, il est plutôt en forme.

— Je sais, mais cela ne m'empêche pas de me faire beaucoup de souci pour lui. Comme il a horreur que je lui demande comment il va, il n'y a qu'avec toi que je peux en parler

— Ne te tracasse pas, Luna. Grâce au savoir de la sœur du Marécageux, je pense qu'Elbion a encore de belles années devant lui.

— J'espère…

La louve et l'elfe restèrent un moment silencieuses, à partager les mêmes espoirs au plus profond de leur cœur. Scylla changea brusquement de sujet :

— Que vas-tu offrir à Alba, ce soir ?

— Je n'en ai pas la moindre idée.

— Figure-toi qu'Elbion a eu une idée formidable.

— Elbion va lui faire un cadeau ?

— Oui, il va demander à Jek d'aller vivre au village des elfes sylvestres… avec la fillette ! Il est temps que notre fils s'éloigne un peu de nous et qu'il vive sa vie. Or, il semble qu'il se soit pris d'affection pour cette petite fille.

— Et c'est réciproque ! constata Luna. Vois comme Alba le regarde avec admiration. Elle va être folle de joie ! Ce sera sans doute son plus beau cadeau d'anniversaire. Mais Kally et Naya ne risquent-elles pas de vouloir suivre leur frère ?

— Non, elles sont très attachées à Khan et

commencent même à s'intéresser à la petite Lyla. Elles sont beaucoup plus douces et maternelles que mon foufou de Jek qui, lui, a besoin d'action et d'aventure.

— Comme Alba! fit Luna en éclatant de rire. Elle me fait beaucoup penser à moi quand j'étais petite.

— Elbion pense exactement la même chose. C'est pour cela qu'il va demander à Jek d'aller vivre avec elle. Notre fils veillera sur elle et la protégera, comme Elbion l'a fait pour toi.

À ces mots pleins de bon sens, Luna eut soudain une illumination.

— Eh, je sais ce que je vais lui offrir!

— Quoi donc?

— Mon talisman d'Eilistraée!

La louve anthracite pencha la tête. Ses grands yeux bleus s'étrécirent.

— Tu veux lui faire don du collier que t'a offert la déesse? s'étonna-t-elle.

— Pourquoi pas? Il m'a protégée tout au long de mes épreuves. Sans lui, je ne serais peut-être pas là aujourd'hui. Et je pense que c'est au tour d'Alba d'en profiter.

Scylla la toisa, sévère.

— Parce que tu crois vraiment que tes épreuves sont finies?

Luna resta interdite. Elle allait protester, arguant que, là, ils étaient enfin en sécurité, loin de toute menace drow, mais la louve fut plus rapide.

— Le terme de ton combat n'est pas encore arrivé, Luna. Tant que ta sœur vivra, elle n'aura de cesse de te chercher et de te nuire. Contre cette peste et sa déesse araignée, seule Eilistraée sera de force à t'aider. Aussi, écoute-moi bien. N'abandonne jamais le précieux artefact qu'elle t'a offert. Jamais !

Abasourdie, Luna demeura muette de stupeur. Comment Scylla pouvait-elle savoir que Sylnor n'abandonnerait jamais ? Son instinct de chasseresse, peut-être ? Ou les craintes d'Elbion ? La jeune fille déglutit avec peine. Elle savait pourtant au fond d'elle que la louve disait vrai. Elle toucha machinalement le talisman que la bonne déesse lunaire lui avait remis lors de son séjour au royaume des dieux.

« Quand cela prendra-t-il fin ? songea-t-elle, les larmes au bord des yeux. Quand serai-je enfin débarrassée de l'ombre maléfique de ma sœur ? Quand pourrai-je enfin vivre ma vie sans me soucier des drows ? »

Soudain la réponse lui apparut comme évidente. Terrible, implacable, mais tellement évidente ! Il faudrait qu'elle affronte matrone Sylnor une bonne fois pour toutes lors d'un duel à mort. Il n'y aurait que de cette façon qu'elle aurait enfin la paix. Les larmes qu'elle contenait glissèrent sur ses joues.

Scylla se méprit sur la raison de son chagrin et essaya de la rassurer :

— Ne sois pas déçue, Luna. L'idée d'un talisman est très bonne, mais il faut qu'Alba en possède un bien à elle. Tu sais quoi ? Je vais te donner l'une des dents de Jek. Il en a justement perdu une l'autre jour et, comme toutes les mères, je conserve parfois des choses inutiles… Il te suffira de la percer pour y passer une chaîne. Je suis certaine qu'Alba sera enchantée et que ce porte-bonheur ne la quittera plus jamais.

Un sourire franc éclaira les yeux gris de Luna. Elle se jeta au cou de la louve.

— Tu es formidable, Scylla ! Je comprends pourquoi Elbion t'aime tant !

Le regard brillant, la louve hocha la tête lentement.

— Et il t'aime encore plus, petite elfe de lune, sois-en sûre ! Si tu lui demandais de t'accompagner demain au bout du monde, il n'hésiterait pas une seule seconde et je ne me mettrais pas en travers de votre route. Vous êtes liés tous les deux, bien plus que nous ne le serons jamais lui et moi.

Luna aurait voulu protester pour rassurer la louve, mais cela aurait sonné faux. Scylla avait raison, c'était une évidence. Soudain Alba se précipita dans sa direction.

— Dis, Luna, tu n'as pas oublié, pour ce soir, hein? lâcha l'enfant, essoufflée.

— Bien sûr que je n'ai pas oublié!

— Grand'ma a préparé des tartes aux fraises!

— Et moi j'ai un très beau cadeau pour toi, ma fripouillote, déclara Luna en se levant d'un bond. Dites, les enfants, que diriez-vous d'une partie de loup?

Elle toucha Alba et fila en direction de Khan qu'elle souleva dans ses bras pour l'emporter dans sa course. Une joyeuse pagaille s'ensuivit, pleine de rires et de cris de bonheur.

Scylla les regarda, le cœur lourd, et ferma les yeux pour cacher ses larmes de tristesse.

# ÉPILOGUE

L'obscurité était profonde, le silence, parfait. Pas un bruit ne venait troubler la quiétude sépulcrale des profondeurs de la terre. Là régnait le néant absolu. Aucune lumière ni aucun son n'étaient jamais parvenus à une telle distance. Personne n'avait jamais mis les pieds dans ces recoins perdus aux tréfonds de la roche. Personne, sauf celui qui avait creusé cette galerie.

De minuscules grains de poussière flottaient, immobiles, autour du vieil elfe endormi. Blotti contre la roche, enroulé dans son manteau de laine usé jusqu'à la corde, le Marécageux ronflait. Il avait travaillé d'arrache-pied pendant presque vingt heures d'affilée. Et, comme son esprit vidé ne répondait plus à ses sollicitations, il avait été contraint de faire une pause. À peine s'était-il adossé au rocher humide, qu'il avait sombré dans les limbes de l'inconscience.

Lorsqu'il émergea du profond sommeil où son esprit s'était réfugié pour se ressourcer, rien n'avait bougé autour de lui. La roche, les ténèbres et le silence étaient devenus ses compagnons de route depuis de longs mois déjà. Il les connaissait par cœur. Il n'aurait pas su dire avec exactitude depuis quand il avait commencé à creuser; en revanche, il se souvenait parfaitement du jour où il avait vu les drows survoler les ruines de Laltharils sur leurs créatures ailées.

Il se rappelait encore le regard sauvage de la matriarche. Malgré son jeune âge, matrone Sylnor était redoutable. Il avait eu du mal à se dire que c'était la sœur cadette de Luna. Comment les deux filles d'Ambrethil pouvaient-elles être à ce point dissemblables? Pourtant, il connaissait la réponse. Tout était la faute des drows et en particulier des prêtresses de Lloth, sanguinaires et sadiques, qui avaient transformé une innocente enfant en un monstre de perversité. Le Marécageux avait vu comment cette adolescente sans pitié avait torturé le pauvre Bromyr. Après l'avoir charcuté pendant des heures, Sylnor s'était barbouillée du sang de sa victime encore vivante pour entonner un chant de gloire à la déesse araignée.

Le vieil elfe aurait voulu mettre un terme à cette sanglante mascarade, mais il était seul et impuissant contre des milliers de drows. Il aurait pu se sacrifier pour l'honneur ou par solidarité, mais il n'en avait pas le droit. Sa mission devait rester son unique objectif. Or elle était loin d'être terminée. Il avait dû fuir, fuir très loin pour ne plus entendre les cris de douleur de Bromyr, qui avaient hanté la forêt jusqu'à l'aube.

Ce douloureux souvenir lui donna la nausée. Le Marécageux chassa de son esprit ces hurlements fantômes et se releva péniblement. Amaigri et affaibli, il n'était plus que l'ombre de lui-même. C'était un vrai miracle si son corps, décharné par les privations et le jeûne draconien qu'il s'imposait, tenait encore debout.

Il farfouilla dans sa sacoche et attrapa un oignon à moitié pourri qu'il éplucha. Il le croqua et prit soin de le mâcher lentement. Même la partie brune et recouverte de moisissure fut engloutie. Il n'était pas question de gâcher le peu de nourriture qui lui restait. Pour chasser le goût amer du bulbe, il lécha la paroi suintante d'humidité du tunnel. Comme son ventre lui réclamait autre chose, il replongea sa main aveugle dans le sac et tâtonna pour compter ses maigres provisions : un, deux, trois. Son estomac se noua. Il ne lui restait plus que trois oignons en piteux état. Il soupira de dépit. Cela lui suffirait sans doute, mais ça ne l'empêchait pas de se remémorer avec nostalgie le goût acidulé des reinettes qui l'avaient nourri les premiers temps. Pommes, noix, figues, carottes sauvages et navets, le Marécageux avait emporté plusieurs sacs de provisions, car il savait que sa retraite au cœur de la terre serait longue. Il ne lui restait plus à présent que trois misérables oignons, mais cela n'avait guère d'importance, car sa mission touchait à sa fin.

D'après ses estimations, le port de Rhasgarrok ne devait plus se trouver bien loin. Une lieue, peut-être deux, le séparait encore de l'effervescence de la cité drow.

Parti de la côte ouest, l'interminable tunnel serpentait entre les rivières souterraines. Là où personne n'avait jamais creusé de galerie, lui, le Marécageux, avait tracé une route. Elle était sûre, sécurisée, et aucun drow ne s'y aventurerait jamais, car elle ne serait répertoriée sur aucune carte. Enfin, ce n'était pas vraiment sa route… Le Marécageux avait en réalité tracé la route de Luna.

Sa pistounette, sa marmousette, son rayon de soleil! Sa Luna chérie! Son unique raison de vivre, ou plutôt de survivre! C'était elle qui lui avait donné la force de lutter lorsqu'il était enfermé à Naak'Mur, elle encore qui lui avait donné le courage de traverser les terres du Nord, elle enfin qui lui avait donné l'énergie de creuser la roche pour ouvrir la voie.

Il se demandait parfois si ce n'était pas trop lui demander, si cette ultime mission ne serait pas la mission de trop. En ouvrant ce chemin dans les entrailles de la Terre, n'envoyait-il pas sa protégée à une mort certaine ? Pourtant, les oracles étaient formels, Luna était celle qui délivrerait les drows de l'emprise de Lloth. C'était pour elle qu'il avait accepté de devenir le gardien des tunnels reliant les trois cités elfiques, et de vivre en ermite, reclus du reste du monde, dans sa cabane perdue au fin fond des marais de Mornuyn. C'était pour elle qu'il avait renoncé à suivre les siens dans leur exil maritime. Certes, à l'époque, il ne connaissait pas encore Luna et il ignorait à quel moment elle ferait irruption dans sa vie. Mais, lorsque sa sœur Viurna lui avait apporté cette petite fille blanche comme la lune, il avait tout de suite compris que c'était elle qu'il attendait depuis si longtemps, cette enfant de lune qu'il avait appelée Luna et qui sauverait un jour les elfes noirs de la domination de la déesse araignée.

Le Marécageux ferma les yeux et banda son esprit pour communier une fois de plus avec la roche. Mètre par mètre, la matière minérale se soumettait, obéissait et se modelait selon sa volonté. Heure après heure, le vieil elfe se rapprochait inexorablement de la cité maudite.

Soudain le murmure de l'eau le tira de la léthargie dans laquelle le plongeaient ses transes. Il ouvrit les yeux et cessa de respirer. Le bassin du port de Rhasgarrok ne se trouvait plus qu'à quelques mètres seulement de sa galerie. Ses prévisions étaient justes! Maintenant, il ne lui restait plus qu'à remonter de quelques mètres en direction de l'entrepôt abandonné.

Le cœur battant, il s'adressa à Luna comme il le faisait bien souvent. Elle ne pouvait l'entendre, évidemment, mais lui tirait une force extraordinaire de ces conversations imaginaires.

— Ah, ah, tu n'y croyais pas, hein? Tu te disais: «Oh, le pauvre vieux, il va y laisser sa carcasse, à force de creuser nuit et jour!» Mais tu vois, cornedrouille, que c'est moi qui avais raison! Mon tunnel est presque terminé. Enfin, ton tunnel, parce que c'est par là que tu reviendras à Rhasgarrok. Eh, oui, ma belle, tu vas revenir ici, et à cause de moi, en plus. Crois bien que j'en suis désolé, mais vois le bon côté des choses, bigrevert! Nos routes vont se croiser à nouveau, ma pistounette. Bon, j'avoue que la mission que je vais te confier sera sans aucun doute la plus périlleuse de toutes, mais... c'est également le but de ta vie, que veux-tu! Car toutes les épreuves que tu as franchies jusqu'ici n'avaient en réalité qu'un seul but: celui de te conduire vers ton destin, ma Luna. Et, ton destin, c'est d'affronter ta sœur et la redoutable Lloth. D'accord, tu vas me dire que tu les as déjà affrontées, mais c'était il y a longtemps; tu étais trop jeune et inexpérimentée pour les vaincre. À présent, tu es de taille à te mesurer à ces deux furies. Et tu vas l'emporter, ma Luna. Oui, j'ai foi en toi!

Le vieil elfe s'arrêta et sourit.

— Oh, je sais ce que tu vas encore me dire! Que je parle trop, que je ne te laisse pas en placer une, que je radote… D'accord, je me tais. Juré, craché! À partir de maintenant, plus un mot, je ne dis plus rien, promis. Ah, si, encore une chose, juste une dernière chose. Je t'aime, ma petite crapouillote, je t'aime plus que tout au monde.

Rasséréné et plus motivé que jamais, le Marécageux ferma les yeux, prêt à ne faire plus qu'un avec la roche sur quelques petits mètres encore.

# LISTE DES PERSONNAGES

**Abzagal** : Divinité majeure des avariels ; dieu dragon.

**Acuarius** : Divinité principale du panthéon océanide.

**Ahana** : Baleine, guide de *La folie d'Acuarius* au cours de sa traversée maritime vers Ysmalia.

**Alba** : Elfe sylvestre ; petite-fille de Gran'ma et petite-nièce de Viurna.

**Aldriel** : Humaine ; princesse et sœur de Djem. Plus tard, reine de la citadelle d'Ysmalia.

**Allanéa** : Avarielle ; amie de Luna et compagne de Hoël.

**Ambrethil** : Elfe de lune ; mère de Luna et de Sylnor, reine des elfes de lune.

**Askorias And'Thriel** : Drow ; père d'Elkantar And'Thriel, grand-père de Sylnor et de Luna.

**Assyléa** : Drow ; meilleure amie de Luna, épouse de Darkhan et mère de Khan.

**Cyrielle Ab'Nahoui** : Avarielle ; cousine de Thyl, épouse de Platzeck et mère de Lyla.

**Darkhan** : Mi-elfe de lune, mi-drow ; cousin de Luna, époux d'Assyléa et père de Khan.

**Djem** : Humain ; prince et frère d'Aldriel.

**Edryss** : Drow ; chef des bons drows et prêtresse d'Eilistraée.
**Eilistraée** : Divinité du panthéon drow ; fille de Lloth. Solitaire et bienveillante, elle est la déesse de la beauté, de la musique et du chant. Associée à la Lune, elle symbolise l'harmonie entre les races.
**Elbion** : Loup ; frère de lait de Luna, compagnon de Scylla et père de Jek, de Kally et de Naya.
**Elkantar And'Thriel** : Drow ; noble sorcier, ancien amant d'Ambrethil, père de Luna et de Sylnor.
**Ethel** : Drow ; mage noir au service de matrone Sylnor.

**Fulgurus** : Océanide ; roi d'Océanys et père de Sylmarils.

**Gabor** : Océanide ; frère jumeau de Kern, cousin de Sylmarils.
**Gran'ma** : Elfe sylvestre ; sœur cadette du Marécageux et de Viurna.
**Gran'ta** : Surnom de Viurna.

**Haydel Ab'nahoui** : Avarielle ; sœur cadette de l'empereur Thyl.

**Hérildur**: Elfe de lune; père d'Ambrethil et grand-père de Luna. Il vit à présent dans le royaume des dieux sous la forme d'un ange.
**Hoël**: Avariel; compagnon d'Allanéa.

**Jek**: Loup; fils d'Elbion et de Scylla.

**Kally**: Louve; fille d'Elbion et de Scylla.
**Kendhal**: Elfe de soleil; roi des elfes de soleil.
**Kern**: Océanide; frère jumeau de Gabor, cousin de Sylmarils.
**Khan**: Mi-elfe de lune, mi-drow; fils de Darkhan et d'Assyléa, petit-cousin de Luna.

**Lloth**: Divinité majeure des drows; déesse araignée.
**Luna (Sylnodel)**: Mi-elfe de lune, mi-drow; fille d'Ambrethil et d'Elkantar And'Thriel, sœur de matrone Sylnor.
**Lyla**: Mi-avarielle, mi-drow; fille de Cyrielle et de Platzeck.

**Ma'Olyn**: Fée; chef d'un clan sur l'île de Tank'Ylan.
**Marécageux (Le)**: Elfe sylvestre; ancien mentor de Luna.

**Naak**: Divinité du panthéon drow

aujourd'hui oubliée ; ancien dieu scorpion de la guerre.

**Naya** : Louve ; fille d'Elbion et de Scylla.

**Platzeck** : Drow ; fils d'Edryss, mari de Cyrielle et père de Lyla.

**Ravenstein** : Esprit sylvestre ; protecteur de la forêt qui porte son nom, il est désormais prisonnier d'un citrex détenu par matrone Sylnor.

**Scylla** : Louve ; compagne d'Elbion et mère de Jek, de Kally et de Naya.

**Sylmarils** : Océanide ; fille de Fulgurus, fiancée de Thyl.

**Sylnodel** : Signifie Luna, « Perle de Lune » en elfique. Voir Luna.

**Sylnor** (**matrone Sylnor**) : Mi-elfe de lune, mi-drow ; fille cadette d'Ambrethil et d'Elkantar And'Thriel, sœur de Luna.

**Thémys** : Drow ; intendante du monastère de Lloth.

**Thyl Ab'Nahoui** : Avariel ; empereur des avariels et fiancé de Sylmarils.

**Viurna** : Elfe sylvestre ; sœur cadette du Marécageux et de Grand'ma.

**Ylaïs** : Drow ; première prêtresse de Lloth.

**Zesstra Vo'Arden** : Drow ; ancienne grande prêtresse de Lloth.

# GLOSSAIRE

**Abysséens** : Les abysséens sont des créatures sous-marines vivant dans les eaux profondes qui entourent l'île de Tank'Ylan. Leur corps grotesque ressemble à celui d'un humain difforme dont la peau écailleuse luit faiblement dans les ténèbres. Leurs jambes, longues et musculeuses, contrastent avec leur torse rachitique, presque atrophié. Quant à leurs bras, reliés à leur torse par une membrane formant une sorte de nageoire, ils sont bien plus longs et puissants que la moyenne et semblent capables d'étouffer un ours. Sur leur face repoussante sans yeux ni narines s'ouvre une bouche couleur rouge sang qui cache trois rangées de dents tranchantes comme des rasoirs. Leurs yeux globuleux se nichent au creux de leurs mains aux doigts crochus. Les abysséens sont des prédateurs impitoyables. Leur férocité n'a d'égale que leur cruauté. Ces êtres sont pervers, sadiques et n'éprouvent aucune pitié pour quelque être vivant que ce soit.

**Avariels** : Voir elfes ailés.

**Citrex** : Artefact aussi rare qu'ancien qui

ressemble à un petit tube en verre refermé par un bouchon parfaitement hermétique. Il possède la particularité de pouvoir emprisonner des êtres éthérés tels que les esprits. Cet objet magique est très recherché par les nécromanciens désireux de maîtriser des démons, mais il n'en reste que très peu d'exemplaires intacts.

**Dieux/déesses**: Immortels, les dieux vivent dans des sphères, sortes de bulles flottant dans le firmament éternellement bleu de leur monde. D'apparence humanoïde ou animale, les dieux influencent le destin des mortels en leur dictant leur conduite, en les aidant ou, au contraire, en les punissant. Plus le nombre de ses fidèles est important, plus une divinité acquiert d'importance et de pouvoir parmi les autres dieux. Ceux dont le culte s'amenuise sont relégués au rang de divinités inférieures et finissent par disparaître complètement si plus aucun adepte ne les vénère.

**Drows**: Voir elfes noirs.

**Elfes**: Les elfes sont légèrement plus petits et minces que les humains. On les reconnaît facilement à leurs oreilles pointues et à leur remarquable beauté. Doués d'une grande intelligence, ils possèdent tous des aptitudes naturelles pour la magie, ce qui ne les empêche pas de manier l'arc et l'épée avec une grande dextérité. Comme tous les êtres nyctalopes, ils sont également capables de voir dans le noir. Leur endurance et leurs capacités physiques sont indéniablement supérieures à celles des autres races. À la suite de la destruction de Laltharils par les drows, les autres communautés elfiques se sont réfugiées dans la forteresse de Naak'Mur. Puis elles en ont été chassées par les drows et ont dû prendre la mer. Elles ont trouvé refuge à Océanys.

**Elfes ailés** (ou avariels) : Ils possèdent de grandes ailes aux plumes très douces, qui leur permettent d'évoluer dans les cieux avec une grâce et une rapidité incomparables.

**Elfes de lune** (ou elfes argentés) : Ils ont la peau très claire, presque bleutée ; leurs cheveux sont en général blanc argenté, blond très clair ou même bleus.

**Elfes de soleil** (ou dorés) : Ils ont une peau couleur bronze et des cheveux généralement blonds comme l'or ou plutôt cuivrés. On dit que ce sont les plus beaux et les plus fiers de tous les elfes.

**Elfes marins** (ou océanides) : Ces elfes à la peau bleutée possèdent des branchies situées derrière les oreilles, qui leur permettent de respirer sous l'eau. Avec leurs mains et leurs pieds palmés, ils se déplacent aisément dans la mer. Ils vivent en autarcie dans la cité-palais d'Océanys, sous l'autorité de Fulgurus, leur roi.

**Elfes noirs** (ou drows) : Ils ont la peau noire comme de l'obsidienne et les cheveux blanc argenté ou noirs. Leurs yeux parfois rouges en font des êtres particulièrement inquiétants. Souvent malfaisants, cruels et sadiques, ils sont assoiffés de pouvoir et sont sans cesse occupés à se méfier de leurs semblables et à ourdir des complots. Les drows vénèrent Lloth, la maléfique déesse araignée, et leur grande prêtresse dirige d'une main de fer cette société matriarcale. Depuis la victoire de matrone Sylnor sur les elfes de la surface, les drows règnent en maîtres sur les terres du Nord.

**Elfes sylvestres** : Avec leur peau cuivrée et leurs yeux verts, ce sont les seuls elfes à vivre en totale harmonie avec la nature. Pour fuir les drows, ils ont abandonné les terres du Nord et trouvé refuge sur les rivages d'Ysmalia où ils vivent en une communauté soudée.

**Fées** : De taille réduite, ces créatures extrêmement attachantes possèdent une ou deux paires d'ailes membraneuses qui leur permettent de voler. D'un naturel enjoué, les fées

vivent en clans, regroupées autour d'une guérisseuse supérieure. On compte sept clans qui
vivent en paix dans la cité-palais d'Océanys
où elles ont été accueillies par les océanides
après la destruction de leur île.

**Griffons**: Créatures fantastiques à corps de
lion et à tête d'aigle, les griffons possèdent
des ailes et des serres puissantes. Fiers et
farouches, ce sont de redoutables prédateurs.
Les griffons de l'ombre sont particulièrement
sauvages et cruels. Certains drows sont
néanmoins parvenus à apprivoiser quelques
individus, mais seule leur magie noire leur
permet de dominer ces montures extrêmement versatiles et imprévisibles.

**Hommes-rats**: Ces créatures hybrides sont le
résultat de malheureux croisements entre des
humains et les rats géants qui vivaient dans
les égouts de Rhasgarrok. Rejetés et raillés
par les autres habitants de la cité souterraine,
ils ont finalement été contraints de s'exiler
au plus profond des entrailles de la ville
pour éviter la vindicte d'une matriarche plus
cruelle que les autres.
**Humains**: À la suite de la destruction massive
des villages humains des terres du Nord par
l'armée de dragons d'une ancienne matrone,

il n'existe plus guère d'humains dans les terres du Nord. Ceux qui vivent dans les villes et villages de la vallée d'Ylhoë côtoient très peu les autres races. Ils sont par ailleurs très réfractaires à la magie, qu'ils attribuent au diable. Les colonies d'humains établies sur le continent d'Ysmalia, pour leur part, vivent en harmonie avec les elfes et font du commerce avec eux.

**Mages**: Ce sont de très puissants magiciens. Les mages elfes de soleil et elfes de lune sont d'une grande sagesse et d'une érudition remarquable. Les mages noirs sont des drows, tout aussi sanguinaires que ceux de leur communauté. En réunissant leurs forces magiques, les mages peuvent accomplir des exploits surprenants.

**Minotaures**: Créatures hybrides au corps d'humain et à tête de taureau. Les minotaures sont très intelligents, mais leur apparence repoussante et effrayante en fait des êtres taciturnes, souvent remplis de haine et de violence, qui vivent en marge de la société.

**Océanides**: Voir elfes marins.

**Pégases**: Créatures magiques issues de l'union d'une jument et d'un aigle royal, ce sont des chevaux ailés. À l'état sauvage, ils vivent en troupeaux, mais certains, domestiqués par l'homme, font d'excellentes montures. Leurs cousins, les pégases noirs, ont un tempérament fougueux qui en fait des animaux peu sociables et très difficiles à dresser. Ils sont pourtant les montures de prédilection des elfes noirs.

**Trolls** : Les trolls sont des humanoïdes de grande taille, puissants, laids et particulièrement stupides. Ils vivent essentiellement dans des cavernes, où ils amassent des trésors, tuent pour le plaisir et chassent toutes les proies qui leur semblent comestibles.

**Urbams** : Ces créatures monstrueuses ont toutes disparu depuis que matrone Sylnor les a utilisées pour l'assaut final de Laltharils. Elles étaient le fruit d'expériences ratées de sorciers drows. Entièrement dévouées à leur maître ou maîtresse, elles servaient en général d'esclaves et de gladiateurs. Elles étaient d'une sauvagerie sans pareille et on les disait volontiers cannibales.

# TABLE DES MATIÈRES

# Luna